V S

AN] A

DE LOS SIGLOS XV y XVI

EDICIÓN, INTRODUCCIÓN, NOTAS, COMENTARIOS
Y APÉNDICE

VICENTE TUSÓN

Biblioteca Didáctica Anaya

Abreviaturas empleadas

Cfr. = confróntese, véase.
Ed. = edición, editorial.
Infra = abajo, más adelante.
Pág., págs. = página, páginas.
V., vv. = verso, versos.

Dirección de la colección: Antonio Basanta Reyes y Luis Vázquez Rodríguez.
Diseño de interiores y cubierta: Antonio Tello.
Dibujos: Luis García
Ilustración de cubierta: Javier Serrano Pérez.

Í N D I C E

INTRODUCCIÓN

De acuerdo con los planes de la colección, se dedica este volumen a la poesía de los siglos XV y XVI. Cuando se comparan ambas centurias, se tenderá a acentuar —según el enfoque que se adopte—, ora la *continuidad,* ora la *ruptura* que hay entre ellas. Pero no faltan razones para agrupar este amplio y complejo período en un volumen. Junto a muy visibles cambios de espíritu y de formas, no es poco lo que permanece. El *Renacimiento* no es un fenómeno súbito que rompe con la *Edad Media.* Es sintomático que ya el primero de los poetas que seleccionamos —Santillana— nos ofrezca, junto a rasgos inequívocos de «espíritu medieval», nuevas ideas, nuevos aires culturales y un ensayo pionero de formas italianas.

Marte y el carro de la guerra. *Símbolo de una época en la transición desde el Medievo al Renacimiento.*

ÉPOCA

El siglo XV

Otoño de la Edad Media y *Prerrenacimiento:* ambos rótulos ha merecido este siglo, compleja encrucijada en muchos sentidos.

1. **Históricamente,** es una época marcada por crisis políticas, sociales y económicas. Hay diversas guerras civiles (disensiones internas de la nobleza o entre ciertos nobles y rey); la economía atraviesa momentos muy difíciles, etc.

Con todo, destacan dos largos reinados por su papel cultural: en la Corona de Aragón, el del *Alfonso V el Magnánimo* (1416-1458); en Castilla, el de *Juan II* (1406-1454).

En la segunda mitad del siglo —tras la calamitosa época de *Enrique IV* (1454-1474)—, el reinado de los *Reyes Católicos* abrirá una nueva etapa sobre cuya importancia política y cultural no será necesario insistir.

2. Socialmente, debe destacarse el auge de la *nobleza cortesana,* por su importancia cultural: en las refinadas cortes se desarrollarán los *ideales caballerescos* y se darán la mano las *fiestas* y la *poesía.*

Por debajo, la *burguesía* pugna por desarrollarse, con mayores dificultades que en otros países. Y la situación del pueblo es muy precaria.

Recordemos, en 1492, un hecho de graves repercusiones: *la expulsión de los judíos,* cuyo papel en la economía y en la cultura había sido considerable.

Las clases dirigentes comienzan a refinar sus diversiones, tal y como nos muestra esta «clase de equitación», de un manuscrito italiano del siglo XV.

3. Culturalmente, destaquemos ante todo cierto *espíritu de malestar,* producto de las crisis y dificultades. Se extiende *una visión pesimista del hombre y de la vida:* vanidad del mundo, inconstancia de la fortuna, fugacidad de la vida, obsesión por la muerte... (de todo ello nos hablarán los poetas).

Se diría que el *vitalismo* —representado en el siglo XIV por el Arcipreste de Hita y que caracterizará al Renacimiento— queda ahora como entre paréntesis, contrapesado por un reavivamiento del *ascetismo medieval.* (En este sentido, sería significativo ver cómo cambia la actitud ante la vida y la muerte desde un Juan Ruiz hasta la *Danza,* Mena o Manrique: véanse nuestras observaciones a los textos **7, 13** ó **14**).

4. En medio de todo ello, se producen **los albores del Humanismo.** Los contactos con Italia descubren un Renacimiento ya maduro. Se traducen obras clásicas. Aparecen los primeros estudios filológicos (en los que destaca la figura de *Nebrija*). Todo ello irá alimentando un nuevo concepto del hombre y del mundo.

Renacimiento y Humanismo (ideas generales)

1. Alcance y génesis. Es el Renacimiento uno de esos movimientos históricos que afectan a todos los campos: literatura, arte, concepción de la vida... Nada más simple que explicarlo como consecuencia de un «descubrimiento» del mundo clásico. Durante la Edad Media, y especialmente en Italia, lo clásico no había dejado de estar ante los ojos; pero se diría que los ojos no estaban hechos a aquella cultura. Hacía falta un cambio de mentalidad y de sensibilidad para interesarse por lo clásico, para «descubrirlo».

Ese cambio va a irse produciendo paulatinamente en Europa —la pionera, Italia— unido a procesos como el paso del feudalismo al capitalismo, la consolidación de la burguesía y el auge de la civilización urbana frente a la rural. Si en su desarrollo han de participar otros sectores sociales, los orígenes de la cultura renacentista están estrechamente vinculados a la *mentalidad burguesa* en su manifestación más refinada. De ahí sus rasgos esenciales.

2. El espíritu renacentista presenta, básicamente, los siguientes rasgos:

— En su centro, un *vitalismo* y un *apego a lo mundano* que conducen a una *secularización de la cultura.*

La vitalidad del Renacimiento se manifiesta en esta miniatura en la que el dios de la guerra preside las acciones militares.

*Un espíritu nuevo,
en relación estrecha
con la belleza y el
goce de los sentidos,
preside la nueva
sociedad
renacentista.*

— En el centro también, *el hombre.* Se exalta todo lo
humano. El ideal educativo busca el desarrollo armónico del *individuo* (idea del hombre completo, hombre
de armas y de letras, el *Cortesano...*).

— Con el convencimiento de la *dignidad del hombre,* se
afirma que «el hombre es la medida de todas las
cosas» y a su medida puede ser organizado armónicamente el mundo. Se profesa la *confianza en el poder de
la razón* para explicar el universo y conocer la verdad
en cualquier campo. Por ello, al criterio de autoridad
se opone el *sentido crítico* y la *curiosidad:* de ahí los
descubrimientos y los avances de la ciencia. Y ello es

posible en combinación con un perceptible *individua-lismo* o exaltación de las facultades de la persona.

— Con todo lo anterior se empareja una *nueva valoración de la Naturaleza*. El hombre se enmarca en un mundo lleno de bellezas que serán fuente de contemplación y de goce.

Veamos cómo estos rasgos conectan con las tareas humanísticas, la espiritualidad o la estética del momento.

3. El Humanismo. Ese nuevo espíritu fue pronto inseparable de la nueva valoración de la antigüedad clásica. La nueva sensibilidad «descubre», sí, en la cultura grecolatina, un pensamiento, un arte y una literatura centrados en *lo humano*. Y así los *clásicos* se convierten en *modelos*.

El conjunto de actividades de edición, estudio y comentario de los textos clásicos, para ofrecerlos como guía de creación o de conducta, es lo que se llama *Humanismo*. Y quede claro que no es simple erudición, sino una labor enfocada al más amplio desarrollo del hombre, de la *humanitas*.

4. La religiosidad. Aparte ciertas actitudes paganizantes o escépticas, y de la pervivencia de la religiosidad tradicional, resultan característicos de la época nuevos modos de vivir el cristianismo. Destaquemos el papel que se otorga a *la intimidad*. En esa dirección van diversas corrientes, entre las que sobresale el holandés *Erasmo de Rotterdam* (¿1466?-1536), que tanto influiría en España y que promovía un retorno a la pureza evangélica y un cristianismo interior (lectura de la Biblia, oración mental...) frente a los cultos externos y fastuosos.

Un paso más y se llega a la Reforma de *Lutero* que rompió con la «ortodoxia» (1519). El protestantismo opone a la autoridad de Roma una religiosidad *individualista*, basada en la interpretación personal de la Biblia («libre examen»). Relaciónese tal postura con el espíritu de independencia y el sentido crítico propios del momento.

A ello responderá Roma con la *Contrarreforma,* cuyo eje es el Concilio de Trento (1545-1563). Pero algunas de las notas mencionadas —intimismo, oración mental, etc.— pasarán a nuestras *corrientes ascéticas y místicas* que a menudo resultaron sospechosas para la Iglesia.

5. La estética. Desde el nuevo fervor por el hombre y el mundo, se explican también algunos de los rasgos centrales de la estética renacentista: idealización de la realidad (o gusto por presentarla en sus facetas más «arquetípicas»), tendencia a las formas equilibradas y armónicas, inclinación a la claridad y al orden en la composición, etc. De todo ello daba también ejemplo el arte clásico.

Y dentro de los modelos clásicos, ocupó un puesto eminente el *platonismo,* del que luego se hablará. Anticipemos sólo que —para esta concepción— la belleza de la naturaleza o de la criatura humana es un reflejo de la Belleza suprema a la que el hombre tiende. Ello llevará a una nueva forma de mirar el mundo.

El Concilio de Trento, pintado por Tiziano, supuso el fin de la apertura humanista en España y el inicio de la Contrarreforma.

Renacimiento español. El siglo XVI

1. Como hemos dicho, el Humanismo y las nuevas influencias van penetrando en España a lo largo del siglo XV y, en especial, durante el reinado de los Reyes Católicos. Ya en pleno siglo XVI, se acostumbra a distinguir dos épocas:

— *La época de Carlos V* (1517-1556), con su auge imperial y una sociedad en expansión, parece propicia a las bellas ilusiones. Es el momento de máxima *apertura* a las corrientes europeas (erasmismo, italianismo...). Pero Carlos V terminará replegándose hacia posturas castellanistas y estrictamente ortodoxas; recuérdese su decidido apoyo a Trento.

Quintín Metsys realizó este retrato de Erasmo de Rotterdam, figura esencial, gracias al apoyo de Carlos I, en la cultura española del siglo XVI.

— En la *época de Felipe II* (1556-1598), crecen las dificultades económicas y las miserias sociales. Se produce la «reacción señorial» (rey, nobleza y clero frenan el desarrollo de la burguesía). Es rotundo el *repliegue* espiritual y «nacional»: se prohíbe estudiar en el extranjero, se endurece la censura de libros y la Inquisición redobla su persecución de toda novedad que parezca peligrosa.

2. Tales vicisitudes explican algunas de las **peculiaridades** del Renacimiento español:

— Es menor el peso del espíritu burgués y mayor la participación de la aristocracia caballeresca y del clero en la cultura del XVI.

— Pasada la apertura inicial de Carlos V (de formación europea y de inclinaciones erasmistas), no se extiende la «secularización» de la cultura; se fomenta la religiosidad tradicional y se combatirán las nuevas formas de espiritualidad.

— Paralelamente, se frena el desarrollo de la ciencia y de la filosofía racional.

— El goce ilusionado del mundo se verá empañado por diversas inquietudes y desazones. Y el equilibrio y la armonía irán dejando paso a formas más tensas. Así, a través de la segunda mitad del siglo (*manierismo*), nos iremos acercando al desengaño y al rebuscamiento barrocos.

Se diría que el Renacimiento pleno —tal como antes se ha descrito— es entre nosotros un breve momento de equilibrio inestable. Pero, por encima de todo, el XVI es un siglo espléndido de creación artística en todos los órdenes, y especialmente en la literatura.

LITERATURA

A) SIGLO XV

Los Cancioneros

Con este nombre se conocen unas cincuenta recopilaciones de poemas (o «antologías») que van desde el *Cancionero de Baena* (de mediados del XV) hasta el *Cancionero general* (1511). Los poetas recogidos en ellos son unos 700, los poemas, miles...

En tan amplia producción, predomina la *poesía cortesana.* Es, pues, una poesía *culta* (paralelamente, corrían por las calles los romances y cancioncillas populares de que no hemos de ocuparnos en este volumen). En buena parte, se tratará de «un divertimiento compañero de la música y las fiestas» (Lapesa) y centrado en la expresión del llamado *amor cortés* (véase el apartado siguiente).

La divulgación de los cancioneros se verá favorecida por la música y las fiestas populares y cortesanas de este tiempo.

Pero hay también una línea de *poesía moral o doctrinal* que recoge aquel espíritu grave y pesimista al que nos referimos al principio.

Y destaca asimismo una poesía *alegórico-dantesca,* así llamada porque desarrolla visiones alegóricas cuyo modelo es la *Divina Comedia,* del máximo poeta italiano, Dante Alighieri (1265-1321).

Citemos, aparte, un sector de *poesía satírica,* integrado por poemas anónimos que atacan a diversos personajes o estamentos *(Coplas de «¡Ay, panadera!», Coplas de Mingo Revulgo, Coplas del Provincial).* Y el carácter satírico se combina con el doctrinal en la curiosa *Danza de la Muerte,* de la que veremos una muestra.

Dante Alighieri influirá con su obra en una muy importante nómina de poetas españoles.

La pervivencia de rasgos medievales en la concepción del amor cortés explica su carácter caballeresco y feudal a la vez.

El amor cortés

Conviene hablar, desde ahora, de esta concepción del amor desarrollada a partir del siglo XII por los trovadores provenzales y que se extenderá por el resto de Europa. Puede considerarse como la base del amor «moderno» (y hasta «romántico»), pero responde originariamente a circunstancias propias de las cortes medievales.

— En sus orígenes, en efecto, hay una doble raíz: el *feudalismo* (relaciones de vasallaje) y el *catarismo* (doctrina que rechaza el amor carnal).

— De acuerdo con lo primero, el amor será un «servicio» o vasallaje del poeta a una dama superior (la «señora») a la que llegará a endiosar («mi Dios»).

— De acuerdo con la segunda raíz, se tratará (salvo casos «impuros») de un amor desinteresado, que debe descartar toda esperanza de posesión. De ahí que, paradójicamente, la dama suela ser casada (resultaba así indudable que no se la cortejaba por interés material, interés que presidía los enlaces matrimoniales de la nobleza).

— Pero amarla será, a la vez, «osadía». El amor será secreto y estará amenazado. Y la dama será, con frecuencia, desdeñosa, «cruel». Todo lo más, concederá al amante alguna «prenda» o «galardón» que no debía ir muy lejos.

— Por todo ello, se tratará de un «amor lejano», distante, irrealizable. Y como, pese al ideal, el poeta siente el deseo, la renuncia supone dolor, «pasión» (= padecimiento). Una serie de tópicos se refieren desde entonces al amor como «fuego», «locura», «prisión», «muerte»...

— Pero ese amar y ese sufrir son inevitables. El poeta ha perdido su libertad y, «cautivado», «enajenado», se complace incluso en sufrir, porque sufrir por amor ennoblece.

— Todo ello se resume en sentimientos contradictorios: el amor es deseo y renuncia, es infierno y gloria, es muerte y vida...

La concepción del amor cortés, que se difundió tempranamente en Cataluña y Galicia, se desarrolló en Castilla como «fruto tardío» pero copioso en el XV. Por su carácter de moda, cabe preguntarse qué había de auténtico y qué de juego en su cultivo poético. Mucho de ejercicio literario hubo en ello, sin duda. Llegó a ser signo de elegancia «fingir» un amor doliente. Pero, por otra parte, esa complacencia en cantar amores insatisfechos no deja de ser síntoma de una determinada sensibilidad de la época, con tantas insatisfacciones vitales.

En cualquier caso, leeremos bellas muestras de esa poesía y veremos cómo más tarde —a través del petrarquismo— se prolonga en la gran poesía amorosa del Siglo de Oro.

La lengua poética en el siglo XV

1. Varios **estilos** se percibirán al leer las poesías del XV que hemos seleccionado. Dejando los detalles para otro momento, señalemos lo siguiente:

— En la *poesía amorosa,* de raíz trovadoresca, impera la *sutileza expresiva* y el *refinamiento formal.* Se puede hablar ya de *conceptismo,* en el sentido de «agudeza y arte de ingenio».

— En la *corriente alegórico-dantesca* se desarrolla el estilo más artificioso y audaz del XV (asociado al «arte mayor»). Su modelo es la retórica latina: se quiere *latinizar* el castellano mediante el uso de abundantes cultismos, de retorcimientos sintácticos, etc. (véase J. de Mena).

La Divina Comedia *será punto de referencia en muchas de las obras poéticas del siglo XV español. La ilustración corresponde al Infierno.*

— En la segunda mitad del siglo, se frenan los excesos retóricos y cultistas. La poesía se orienta hacia una expresión más sobria y natural, cuya cima serán las *Coplas* de Manrique.

2. En cuanto a la **métrica** (y dejando también detalles para notas y apéndices), anticipemos unos pocos puntos que orienten la lectura.

— La *versificación tradicional* (octosílabos, hexasílabos, «pies quebrados»...) admitió, tanto las sutilezas y juegos cortesanos, como la gravedad moral: una vez más, Manrique será ejemplo sumo de ambas cosas.

— El *verso de arte mayor castellano,* con su ritmo amplio, marcado y solemne (*Tus cásos faláces, Fortúna, cantámos*), será el instrumento de aquel estilo más ambicioso.

— No olvidemos que se producen en el siglo XV los primeros ensayos con metros italianos (cfr. Santillana, poema **5**), cuyo escaso acierto revela la dificultad del intento.

B) SIGLO XVI

Una revolución poética

Entre los metros italianos y los que nos eran habituales, la diferencia era grande. Se trataba de un salto a otro tipo de ritmo. Tanto que, al principio, no todos los oídos se acostumbrarían (y hubo quienes dijeron que aquello no era «verso»). Pero las nuevas formas acabarán por imponerse —tras los esfuerzos de Boscán— gracias al genio de Garcilaso. Y las consecuencias estéticas serán incalculables. Transcribamos las famosas palabras con que Boscán recuerda aquella experiencia:

«Estando un día de 1526 en Granada con el Navage-
ro* [...] me dijo por qué no probaba en lengua
castellana *sonetos y otras artes de trovas usadas por los
buenos autores de Italia* [...]. Así comencé a tentar este
género de verso, en el cual, *al principio, hallé alguna
dificultad* [...] pero fui poco a poco metiéndome con
calor en ello. Mas esto no bastara a hacerme pasar
muy adelante, si Garcilaso, con su juicio [...], no me
confirmara en esta mi demanda. Y así [...], *acabándome
de aprobar con su ejemplo, porque quiso él también llevar
este camino,* al cabo me hizo ocupar mis ratos en esto
más fundadamente.»

Al hablar de Garcilaso, veremos hasta qué punto alcanzó
el éxito en esta empresa. Y en otros momentos daremos
detalles sobre los versos y estrofas importadas. Pero
precisemos lo que supuso esta «revolución». Porque no se
trató sólo de la incorporación de un nuevo ritmo, sino de
un nuevo tono y una nueva sensibilidad, de nuevos
instrumentos para explorar la intimidad y nuevos cauces
para verter modos distintos de sentir y captar la realidad.
Y es que en aquellos moldes venían también nuevos con-
tenidos.

De entre las novedades «de fondo», es indispensable
examinar dos aspectos que conciernen especialmente
—pero no exclusivamente— al tema del amor.

La poesía amorosa. Petrarquismo, platonismo

1. Ya hemos aludido a la talla de **Petrarca** como humanista. Como poeta, su *Cancionero* es el gran modelo de la
poesía amorosa. Canta en él a Laura, mujer casada que no

*Humanista italiano y embajador de España.

le correspondió y a la que sigue adorando muerta. Veamos los rasgos esenciales de su concepción del amor.

— Sus raíces llegan al «amor cortés» : amor imposible, amada inalcanzable, dolor que ennoblece, etc.

— Pero acentúa de modo muy personal la idea del amor como conflicto íntimo, como contradicción (vida y muerte, etc).

— Y presta al amor un *alcance metafísico*: la sed de amor va asociada a la sed de Absoluto, así como la fragilidad de la dicha va unida a la caducidad de la vida.

— La *Naturaleza* cobra gran importancia, ora como marco, ora como espejo de los estados de ánimo del poeta.

Francesco Petrarca y su espíritu platónico perviven en la lírica más apasionada del Renacimiento hispano.

— Pero, sobre todo, Petrarca aporta una nueva autenticidad humana, una incontestable sinceridad en la introspección, en la confesión de su intimidad.

— A la vez, en el estilo fue modelo, entre otras muchas cosas (imágenes, sutileza, etc) por la musicalidad y la fluidez de sus versos.

El eco de Petrarca fue tal que el *petrarquismo* sería una corriente caudalosa en toda Europa. En España es proverbial su magisterio en nuestros poetas, desde Garcilaso sobre todo.

Las virtudes y las artes, *título de esta miniatura renacentista, ejemplifica la visión entre cristianismo y cultura clásica propia del* neoplatonismo.

2. Ya en algunos enfoques petrarquistas aparece la huella del **platonismo**. La filosofía de Platón —armonizada con las ideas cristianas por el *neoplatonismo*— tiene un peso especial en el Renacimiento, según dijimos. He aquí algunos aspectos de tal corriente que ahora nos interesan:

— El mundo, como emanación de Dios, conserva reflejos de la Belleza Suprema.

— El hombre, «desterrado» en este mundo, vive anheloso de plenitud y sólo en la contemplación de la belleza y en el amor encuentra un anticipo de la gloria.

— El amor espiritual es el principio fundamental de la vida que nos eleva hacia Dios, que es amor.

Estas ideas encontraron, en la España del XVI, amplias resonancias: de una parte, en la poesía amorosa (Garcilaso, Herrera, etc.); de otra, en la religiosa (Fray Luis, San Juan...)

La poesía religiosa. Ascética y mística

He aquí otra de las grandes vetas de la literatura del XVI. Con muy diversas fuentes, alcanza su más altas manifestaciones en la época de Felipe II en que, como sabemos, hay un incremento particular de las inquietudes religiosas. Recordemos las dos grandes modalidades de la literatura espiritual:

— La *ascética* (etimológicamente, «trabajo», «ejercicio») trata de los esfuerzos que conducen a renunciar a lo terreno y a purificarse moralmente.

— La *mística* (de una raíz que significa «secreto» o «misterio») concierne a ciertas experiencias extrañas que llevan al alma a un contacto estrecho con Dios.

Según la doctrina más común, la frontera entre las dos estaría en que la ascética es de carácter natural: depende del hombre; en cambio, la mística es de índole sobrenatural: se trata de favores especiales de Dios a algunos de los que han superado la etapa ascética. (Fray Luis, por ejemplo, se queda en la ascética; Santa Teresa o San Juan entran de lleno en la mística.)

Para hablar del camino del alma hacia Dios, era común también la doctrina de las tres etapas o «vías»: *purgativa, iluminativa* y *unitiva.* Pero para estas y otras nociones (la *Noche...*) remitimos a las páginas especiales sobre San Juan de la Cruz.

Con todo, desde ahora, hemos de hacer una doble valoración: de un lado, ponderar la inigualable altura poética que se alcanza con San Juan; de otro, señalar que estamos ante una de las aportaciones más originales del Renacimiento español a la literatura universal.

Otros temas

Indiquemos escuetamente otros aspectos que se hallarán en estas páginas:

— *Lo pastoril,* unido a lo amoroso y al sentimiento de la naturaleza.

— *Lo patriótico* (Acuña, Herrera...).

— *El placentero goce de la vida,* asociado a una forma de *humor* (B. del Alcázar).

— *La vida del campo,* en las imitaciones de los cantarcillos populares por un Castillejo y otros. (Insistimos que la auténtica poesía popular, anónima, merecedora de tratamiento especial, queda fuera de estas páginas.)

La lengua poética en el siglo XVI

Debemos enlazar con lo que apuntamos sobre la evolución del estilo a finales del XV. En palabras de Lapesa, «en casi todo el siglo XVI domina el criterio de *naturalidad* y *selección*»; así «culminaba la tendencia a eliminar el amaneramiento latinizante, iniciada ya en tiempos de los Reyes Católicos».

1. Esto es válido plenamente para la *época de Carlos V.* Unas palabras de Garcilaso dan la norma primera: «Huir

de la afectación, sin dar consigo en ninguna sequedad».
Así, el vocabulario será el usual y cortesano, evitando
tanto lo vulgar como lo rebuscado. La andadura de la
frase será elgante, melodiosa, con un gusto especial por
las construcciones equilibradas (bimembraciones, simetrías, paralelismos...). Y, por encima de todo, la claridad,
la transparencia, la tersura, la «limpieza de estilo», como
decía también Garcilaso. Al estudiar a este gran poeta
veremos la realización máxima de este ideal estilístico.

*Carlos I de España
regirá una época de
expansión política y
cultural española,
que se ha
denominado
«primer Siglo de
Oro». (Miniatura
del Toisón de Oro.)*

La artificiosidad compositiva de Correggio en este cuadro titulado Noli me tangere, *expresa el paralelismo entre manierismo plástico y literario.*

2. Pasando al *reinado de Felipe II,* ese ideal seguirá vigente para muchos. Tal es el caso de Fray Luis. Y, en cierto sentido, es también el caso de San Juan, pese a los muy especiales fenómenos que se producen en sus versos. Dejamos los pormenores para el estudio de estos autores.

Distinto es el caso de Herrera. Como veremos, si bien como poeta amoroso es un continuador de Garcilaso (con matices), en su poesía *patriótica* se aleja de la «naturalidad» y defiende el «artificio» y el «ornamento». Surge así un estilo brillante, solemne, sonoro, en el que se acentúan los recursos formales. A ello se le ha aplicado el término de *Manierismo* (que en historia de la pintura designaba la intensificación de ciertas formas —o «maneras»— del estilo renacentista). Un paso más y estaremos en el Barroco.

AUTORES

El estudio de los grandes poetas podrá iniciarse a partir de las páginas que preceden a sus textos escogidos (para los poetas «menores», se hallarán breves notas introductorias). Ahora nos limitaremos a clasificarlos —en la medida de lo posible— por épocas y por tendencias.

Poetas del siglo XV

Ya hemos aludido al impresionante número de poetas conocidos y sabemos la variedad de tendencias en que se inscriben. Por lo demás, suelen clasificarse por reinados, lo que resulta plausible con matices (hay, por ejemplo, poetas tan longevos como Gómez Manrique que conocieron todos los reinados del siglo).

Jorge Manrique ha pasado a la historia como cumbre de la poesía de todos los tiempos, gracias a las Coplas a la muerte de su padre.

a) En la *época de Juan II* de Castilla (*grosso modo,* la primera mitad del siglo), las dos grandes figuras son Santillana y Mena. Ambos cultivan todas las tendencias propias del momento: la amorosa de raíz trovadoresca, la moral, la alegórico-dantesca...

b) La *segunda mitad* del siglo (reinado de Enrique IV y de los Reyes Católicos) está presidida por la figura de Jorge Manrique, el más fino poeta amoroso de su tiempo... y con la joya de sus *Coplas.*

Junto a los citados, se hallarán otras figuras interesantes, algunas a caballo entre el XV y el XVI (Juan del Encina, Gil Vicente). Y citemos al menos otros nombres que no han hallado cabida en estas páginas: Villasandino, Imperial, Talavera o Calavera, Carvajales, Álvarez Gato...

Poetas del siglo XVI

a) En el *reinado de Carlos V,* ocioso es decirlo, el cetro poético está en las manos de Garcilaso. No insistiremos en los alcances de su revolución poética. Junto a él, Boscán, Acuña, Cetina y otros. Frente a él, Castillejo, fiel a las formas tradicionales.

La vida y la obra poética de Santa Teresa enlazan este reinado con el siguiente.

b) En la *época de Felipe II,* se pretendió distinguir dos escuelas: *salmantina* y *sevillana,* encabezadas respectiva-mente por Fray Luis y Herrera. Tal enfrentamiento es de dudoso acierto, si bien el sevillano presidió, en cierto modo, un grupo de poetas de su tierra. Quede Fray Luis como una de las más altas cumbres de la poesía castellana. Y detrás de ambos —sea en Castilla o en Andalucía— situemos a figuras tan variadas como Figueroa, Aldana, Ercilla, Baltasar del Alcázar...

La lista de poetas interesantes del XVI sería larguísima.

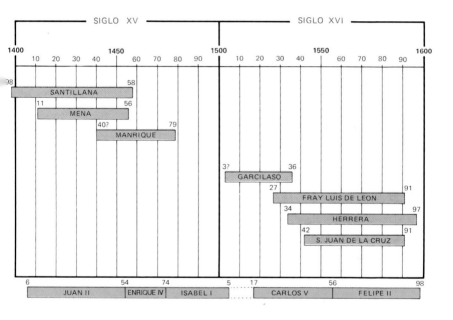

CUESTIONES

▬ *¿Qué espíritu o idea de la vida domina en el siglo* XV? *¿A qué puede deberse?*

▬ *¿Qué destacarías de la mentalidad renacentista? Dentro de ello, ¿qué significa el Humanismo?*

▬ *¿Qué novedades —ortodoxas o heterodoxas— hay en la religiosidad de la época?*

▬ *Señala los gustos dominantes de la estética renacentista.*

▬ *¿Qué etapas y qué peculiaridades presenta el Renacimiento español?*

▬ *Señala las principales líneas de la poesía de Cancionero, tanto en la temática como en el estilo.*

▬ *Resume la concepción del «amor cortés». ¿Qué añadirán luego el «petrarquismo» y el «platonismo»?*

▬ *¿Qué alcance tiene la renovación poética que capitanea Garcilaso?*

▬ *Diferencia entre Ascética y Mística. Su importancia.*

▬ *¿Con qué palabras puede resumirse el ideal de estilo en el Renacimiento pleno? ¿Cómo se ha llamado una tendencia posterior que anuncia al Barroco?; ¿en qué consiste?*

CRITERIO DE ESTA EDICIÓN

Son válidos para esta antología los criterios que expusimos en otro lugar (cfr. n.º 16 de esta colección). Un enfoque resueltamente didáctico nos ha llevado a centrarnos en siete poetas —de los que cuatro se llevan la parte del león—. Pero, bajo el rótulo tradicional de *Flores varias,* se hallarán poemas sueltos que ampliarán o matizarán el horizonte. O de los que se gozará, sencillamente. Porque la belleza *viva* de los textos —tanto o más que su carácter representativo— ha presidido nuestra elección.

Y es mucha la belleza que encerrarán estas páginas. ¿Hará falta decir lo mucho que ha quedado fuera de ellas? Nos habíamos propuesto —casi lo hemos cumplido— no pasar de los dos mil quinientos versos. La poda ha sido dolorosa, especialmente en los casos de Garcilaso y Fray Luis. Esperamos, con todo, que estén aquí representadas,

si no todas, al menos las principales líneas poéticas del
período. ¡Ojalá el estudiante se lance desde aquí a más
amplias lecturas!

Aunque nos hemos basado en textos autorizados, hemos
modernizado la ortografía (con alguna salvedad debida a
la métrica), hasta extremos que acaso sorprendan a algún
filólogo. Debería ser ocioso precisar que nos dirigimos a
estudiantes que no han realizado estudios de fonética
histórica; cuando los aborden, serán otras las ediciones
que habrán de manejar. ¿Y no es deseable que el alumno
empiece —y lo más pronto—por «apropiarse» de esta
poesía «con su propia voz»? (Por lo demás, nos ampara
mos en el ejemplo que han dado en ciertas ediciones
semejantes desde Dámaso Alonso y J. M. Blecua hasta O.
Macrí, B. Gicovate o C. Cueva.)

Dos observaciones finales. Una: En la introducción y en la
presentación de los grandes autores, hemos procurado
(sin pretensiones de originalidad y lejos de toda erudición)
recoger lo que nos parecía más pertinente —a este
nivel— de la crítica más consolidada. Dos: Llamamos la
atención sobre las numerosas notas interpretativas que
van a pie de página. Las hemos concebido con el deseo de
que resulten el elemento didáctico básico de este libro.

ANTOLOGÍA POÉTICA
DE LOS SIGLOS XV y XVI

SIGLO XV

EL MARQUÉS DE SANTILLANA

Vida y personalidad

Se llamaba Íñigo López de Mendoza y había nacido en Carrión de los Condes (Palencia), en 1398. Peleó contra moros y participó de lleno en las luchas políticas de su tiempo, primero contra el rey Juan II y luego a su favor; fue enemigo hasta el fin de don Alvaro de Luna, el famoso privado del rey. Murió en Guadalajara, en 1458.

Siempre se la ha puesto como ejemplo de la unión de las armas y las letras (él mismo dijo: «La ciencia no embota el hierro de la lanza»). Su cultura fue inmensa; estuvo al corriente de las principales tendencias de la literatura de su tiempo (castellana, gallega, catalana, francesa, italiana) y destacan sus inquietudes humanísticas: aunque no conocía a fondo el latín, leyó a los clásicos en traducciones que él mismo promovió.

Añadamos que en sus obras se trasluce una visión pesimista del mundo y del hombre, presidida por el sentimiento de la inconsistencia de la vida (de la que es expresión sintomática el tema de la inconstante Fortuna).

Obra poética

Cultivó Santillana casi todas las líneas y géneros del momento: la *lírica trovadoresca,* la *alegoría dantesca,* la *poesía moral* estoico-cristiana...

A los dos últimos sectores citados pertenecen sus obras más extensas y ambiciosas. De tipo alegórico son, por ejemplo, el *Infierno de los enamorados* (sobre los estragos del amor) y la *Comedieta de Ponza* (de tema histórico); se caracterizan por un estilo culto, artificioso. Entre sus poemas morales, más sobrios, destaca el *Diálogo de Bías contra Fortuna,* por la grave expresión de su citada visión del mundo. Pero, pese al interés que estos y otros títulos tienen para el historiador de la literatura, prescindiremos de ellos en una antología escolar como la presente*.

Dirigiremos la mirada hacia otros sectores de la obra de Santillana:

a) Sus *canciones,* de tipo trovadoresco, expresan con notable elegancia los conceptos del «amor cortés», que recibió, sobre todo, a través de los trovadores gallego-portugueses (véase la composición núm. 1).

b) Delicioso es el llamado *Villancico* (núm. 2), que engasta estribillos de cantares del pueblo. Es cierto que, en otra ocasión, el autor habló despectivamente de los «romances y cantares de que las gentes de baja y servil condición se alegran», pero aquí muestra que sabía paladearlos, al igual que sus *serranillas* mostrarán que sabía inspirarse en ellos, aunque con singular propósito.

c) Las *serranillas* son, sin duda, lo más vigente de su poesía, lo que ha seguido llegando sin cesar a la sensibilidad de los lectores. Y merecen unas precisiones sobre su

---

* Nos contentaremos con que esos tipos de poesía estén representados por las muestras que luego veremos de Juan de Mena.

origen y tratamiento. Sabemos que, desde antiguo, exis-
tían unas cancioncillas populares, las *cantigas de serrana,*
que contaban el encuentro de un viajero con una pastora
o vaquera, la cual, con frecuencia, era una mujer fuerte y
ruda que lo asaltaba; a veces, el encuentro adquiría un
carácter erótico. En el *Libro de Buen Amor,* del Arcipreste
de Hita (siglo XIV), se imitan, y a veces se parodian, tales
encuentros. Pero, ya en Francia, las llamadas *pastorelas*
ofrecían una versión más refinada de tal género. Siguiendo su ejemplo, Santillana estiliza las cantigas tradicionales, idealizando la figura de la pastora y su ambiente;
advirtamos que el desenlace de los encuentros puede ser
variado, aunque siempre queda elegantemente velado lo
que pudiera resultar escabroso. Las dos serranillas que
ofrecemos (**3** y **4**) son ejemplo de la finura, la ligereza del
ritmo y el lirismo de estas composiciones, que deben
leerse en su totalidad.

d) Dejaremos, en fin, constancia de una experiencia muy
interesante, aunque fallida: los *Sonetos al itálico modo,*
intento pionero de aclimatar esta estrofa entre nosotros.
El soneto que insertamos (**5**) nos descubrirá que no
resultaba tan fácil, inicialmente, plegarse al ritmo italiano. El mérito de Santillana es indudable, pero el acierto
definitivo requeriría el genio de un Garcilaso.

Significación

La obra de Santillana es, en suma, variada: en ella
—como ha mostrado R. Lapesa— se dan, desde el
divertimiento y la ligereza de sus comienzos (cantares,
serranillas...), hasta la creciente preocupación por graves
problemas, en etapas posteriores. Fue el poeta más
prestigioso de su generación. Y, por su fervor hacia los
clásicos o su atención a las corrientes italianas, ocupa un
puesto eminente en la avanzadilla de nuestro Renacimiento.

1

CANCIÓN

Recuérdate de mi vida,
pues que viste
mi partir y despedida
ser tan triste.

5 Recuérdate que padezco
y padecí
las penas que no merezco,
desque[1] vi   [1] Desde que.
la respuesta no debida
10 que me diste;
por lo cual mi despedida
fue tan triste.

Pero no cuides[2], señora,   [2] No pienses.
15 que por esto
te fui ni te sea agora
menos presto[3];   [3] Menos dispuesto, me-
que de llaga no fingida   nos fiel.
me heriste[4];   [4] La *h* es aspirada (no
20 así que mi despedida   hay, pues, sinalefa).
fue tan triste▼.

|||||||||||||||||||||||||||||||||||||||||||||||||||||||||||||||||||||||||||||||||||||||||||||||||||||||||||||||||||||||||||||||||||||||

▼ El tema de *la ausencia* o de la separación es frecuentísimo en la poesía del amor
cortés. ¿Qué sentimientos embargan al enamorado ausente? ¿Cuál es su disposición
hacia la amada? En cuanto a la métrica, observa la alternancia de octosílabos y «pies
quebrados». (Atención: para medir adecuadamente el verso 6.°, hay que tener en
cuenta el fenómeno llamado «sinalefa entre versos»: *pa-dez-coy / pa-de-cí. Padecí* tiene,
pues, 3 + 1 = 4 sílabas, por ser aguda.)

2

VILLANCICO

Por una gentil floresta
de lindas flores y rosas
vide[5] tres damas hermosas,
que de amores han recuesta[6].   5
Yo con voluntad muy presta
me llegué a conocellas:
comenzó la una de ellas
esta canción tan honesta:

    Aguardan a mí;
    nunca tales guardas vi[7].   10

Por mirar su hermosura
de estas tres gentiles damas,
yo cubríme con las ramas,
metíme so la verdura[8].
La otra con grand tristura[9]   15
comenzó de suspirar,
a decir este cantar
con muy honesta mesura[10]:

    La niña que amores ha
    sola ¿cómo dormirá?   20

Por no les hacer turbanza[11]
no quise ir más adelante
a las que con ordenanza[12]
cantaban tan consonante[13].
La otra con buen semblante   25
dijo: Señoras de estado[14],
pues las dos habéis cantado,
a mí conviene que cante:

    Dejadlo al villano pene[15];
    véngueme Dios de elle[16].   30

---

[5] Vi.

[6] Que andan en asuntos de amores, que tienen problemas de amor.

[7] «Me guardan; nunca vi tales vigilantes». (Alude a la vigilancia que ejercían los padres sobre las doncellas.)

[8] Debajo de los ramajes.

[9] Tristeza.

[10] Comedimiento, recato.

[11] Para no interrumpirlas o molestarlas.

[12] Método.

[13] Con tanta armonía.

[14] Señoras de condición noble.

[15] «Dejad que el villano sufra».

[16] De él (forma antigua).

Desque[17] ya hubieron cantado
estas señoras que digo,
yo salí desconsolado,
como hombre sin abrigo.
35   Ellas dijeron: Amigo,
no sois vos el que buscamos;
mas cantad, pues que cantamos:

Suspirando iba la niña,
e no por mí,
40   *que yo bien se lo entendí*▼.

17 En cuanto.

▼ Composición curiosísima. Así como al final de ciertos poemas árabes y judíos
(llamados *muwasajas*) se insertaban estribillos de canciones populares cristianas (las
jarchas), el Marqués de Santillana engarza al final de sus estrofas esos versos del mismo
tipo (*villancicos:* estribillos tradicionales). Advirtamos que se trata de un delicioso juego
literario: el autor dedicaba este poema a tres hijas suyas. Y obsérvese la delicadeza y
elegancia que lo preside todo: paisaje, figuras, actitudes.

3

SERRANILLA III

Desque nací,
no vi tal serrana
como esta mañana.

Allá en la vegüela[18]
a Matalespino,   5
en ese camino
que va a Lozoyuela[19],
de guisa[20] la vi
que me hizo gana
la fruta temprana.   10

Garnacha[21] traía
de oro, presada[22]
con broncha[23] dorada,
que bien parecía.
A ella volví   15
diciendo: «Lozana[24],
¿y sois vos villana?»

«Sí soy, caballero;
si por mí lo habedes[25],
decid ¿qué queredes[26]?,   20
hablad verdadero.»
Yo le dije así:
«Juro por Santa Ana
que no sois villana▼.»

[18] Diminutivo de vega.

[19] Matalespino y Lozoyuela son pueblos de la sierra de Madrid, en los dominios del marqués.

[20] De tal modo (= tan hermosa).

[21] Melena.

[22] Recogida o atada.

[23] Pasador o broche.

[24] Hermosa.

[25] Habéis (es decir, «Si os referís a mí»).

[26] Queréis.

▼ En esta serranilla —como en otras, no en todas— el autor deja el final trunco o abierto. Queda la estilización de la pastora y algún elegante toque de sensualidad (versos 8-10). Debe destacarse la gracia del ritmo y el encanto de la construcción, basada en el tipo *estribillo - mudanza - vuelta* (Cfr. Apéndice, pág. 268).

4

SERRANILLA VI

Moza tan hermosa
no vi en la frontera,
como una vaquera
de la Finojosa[27].

5   Haciendo la vía
del Calatraveño
a Santa María,
vencido del sueño,
por tierra fragosa[28]
10   perdí la carrera[29],
do vi la vaquera
de la Finojosa.

En un verde prado
de rosas y flores,
15   guardando ganado
con otros pastores,
la vi tan graciosa,
que apenas creyera
que fuese vaquera
20   de la Finojosa.

No creo las rosas
de la primavera
sean tan hermosas
ni de tal manera
25   (hablando sin glosa[30])
si antes supiera[31]
de aquella vaquera
de la Finojosa.

[27] La Hinojosa, pueblo de Córdoba, en la frontera con tierras de moros.

[28] Montañosa e intrincada.

[29] Camino.

[30] Sin exageración.

[31] Si antes hubiera conocido.

No tanto mirara
su mucha beldad,   30
porque me dejara
en mi libertad.
Mas dije: «Donosa[32]
(por saber quién era),
¿aquella vaquera   35
de la Finojosa?...»

Bien como riendo,
dijo: «Bien vengades,
que ya bien entiendo
lo que demandades[33]:   40
no es deseosa
de amar, ni lo espera,
aquesa vaquera
de la Finojosa▼».

....
[32] Graciosa, simpática.

....
[3] Lo que buscáis.

IIIIIIIIIIIIIIIIIIIIIIIIIIIIIIIIIIIIIIIIIIIIIIIIIIIIIIIIIIIIIIIIIIIIIIIIIIIIIIIIIIIIIIIIIIIIIIIIIIIIIIIIIIIIIIIIIIIIIIIIIIII

▼ Sobre esta serranilla, especialmente famosa, proponemos un comentario en la
ágina 50.

5

SONETO QUE EL MARQUÉS HIZO, QUEJÁNDOSE DE LOS DAÑOS DE ESTE REINO

¿Hoy qué diré de ti, triste hemisferio,
oh patria mía, que veo del todo
ir todas cosas ultra el recto modo[34];
donde se espera inmenso lacerio[35]?

5   ¡Tu gloria y laude tornó vituperio
y la tu clara fama en oscureza[36]!
Por cierto, España, muerta es tu nobleza,
y tus loores tornados hacerio[37].

¿Dó[38] es la fe? ¿Dó es la caridad?
10 ¿Dó la esperanza? Ca[39] por cierto ausentes
son de las tus regiones y partidas.

¿Dó es justicia, templanza, igualdad,
prudencia y fortaleza? ¿Son presentes?
Por cierto non: que lejos son huidas▼.

[34] Fuera de lo normal, de lo justo.

[35] Miseria, desdicha.

[36] Oscuridad.

[37] Vejación, oprobio, descrédito.

[38] Dónde.

[39] Pues, porque.

▼ Por dos cosas es interesante este poema. *a)* Por la forma, como muestra del primer intento de adaptar el soneto; pero nótese la vacilación en el ritmo: señálense varios versos que llevan acento en la 7.ª sílaba (y cuyo ritmo es afín al del «verso de arte mayor»). Se trata de los llamados «endecasílabos de gaita gallega» con su «ritmo de muñeira» (óoo óoo óoo óo). *b)* Por su contenido, revela un hondo malestar ante la situación de España (cosa muy propia del momento); obsérvese cómo predomina un enfoque moral.

COMENTARIO 1 (Serranilla VI)

► *Sitúa este poema en la doble tradición de las* cantigas de serrana *españolas y de las* pastorelas *francesas, consultando nuestra introducción al autor.*

► *Señala las semejanzas y diferencias con respecto a la serranilla anterior (3). Analiza la métrica. Juzga la musicalidad.*

► *Comenta las finas referencias al paisaje. Sin duda, estamos acercándonos a la estilización de lo bucólico que se desarrollará en la literatura renacentista (églogas, novelas pastoriles...). Tenlo en cuenta.*

► *¿Cómo se pondera la figura de la serrana?*

► *¿Qué tópico o idea del «amor cortés» aparece en los versos 29-32?*

► *¿Qué sobreentendidos hay en el diálogo entre el caballero y la vaquera? Muestra la elegancia del desenlace.*

► *Conclusión sobre el arte del autor y sobre el tipo de sensibilidad estética que revela su cultivo de este género.*

JUAN DE MENA

Vida y personalidad

Nació en Córdoba en 1411. A los veintitrés años se traslada a estudiar a Salamanca. Tras una estancia en Roma, donde se familiarizó con los escritores italianos y los clásicos latinos, volvió a España como secretario de cartas latinas y cronista de Juan II. Murió en Torrelaguna, en 1456.

A diferencia de Santillana o Manrique, Juan de Mena fue un puro «hombre de letras», dedicado por entero a la lectura, al estudio y a su obra. Era de carácter orgulloso, retraído y pesimista; compartió con otros hombres de su tiempo una visión amarga del mundo. Como poeta, destacó por sus inquietudes de experimentación formal.

Obra poética

Sustancialmente, cultivó —como Santillana y tantos
otros— tres líneas: la trovadoresca, la moral y la alegórica. La última merece párrafo aparte; hablemos ahora de
las otras dos.

a) En sus *canciones,* junto a los tópicos del «amor cortés»,
destacan algunas notas personales: introspección, pesi-
mismo, amargura y cierto intelectualismo que se manifiesta en un estilo muy conceptista. La canción que
ofrecemos (núm. **6**) nos descubre una curiosa reacción
ante el sufrimiento.

b) Su *poesía moral* recoge su visión cada vez más desengañada. Así, en sus *Coplas contra los pecados mortales* parece
anunciar a un Quevedo cuando nos dice: «¿Quién no
muere antes que muera? / Que la muerte no es morir, /
pues consiste en el vivir / mas es fin de la carrera».

Otro poema suyo tratará *de la gran vanidad de este mundo.*
Y destaquemos el *Razonamiento que hizo con la muerte,* del
que entresacamos unas estrofas (**7**). En ellas se verá su
terrible idea de la muerte y de la caducidad de la vida. Es
un poema muy representativo, que debemos situar en
una línea que va del Arcipreste de Hita («Planto por
Trotaconventos» del *Libro del Buen Amor*) a Jorge Manrique *(Coplas),* pasando por la *Danza de la Muerte* (cfr. n.º **14**).

Por otra parte, la poesía moral de Mena se caracteriza por
un lenguaje más sobrio que el de otros sectores de su
obra.

Poesía alegórica: «Las Trescientas»

Aparte de otros títulos *(Claroscuro, Calamicleos...),* la gran
contribución de Mena a la poesía alegórico-dantesca, y la
obra cumbre de esta línea en España, es el *Laberinto de*

Fortuna, terminada hacia 1444 y también llamada *Las Trescientas* por el número de sus estrofas (son exactamente 297 en su versión original).

> *Contenido.* —Prodigiosamente, el poeta es transportado por los aires a una extraña región donde, guiado por la Providencia, visita el palacio de la diosa Fortuna. Allí ve tres ruedas: dos inmóviles —las del pasado y del futuro— y una en movimiento —la del presente. En ellas contempla personajes famosos por sus virtudes y sus vicios. Al final, hace un canto a Juan II, esperando que —superando a la Fortuna— logre la regeneración y grandeza de España.

Como se ve, la construcción alegórica procede de Dante. Fuera de ello, es mayor la huella de escritores latinos como Virgilio, Lucano y otros; las referencias clásicas son continuas.

La significación de la obra ofrece varios planos:

a) Ante todo, ya sabemos lo significativo que es *el tema de la Fortuna,* como expresión de un concepto desazonado del mundo. Frente a los reveses, Mena recomienda la entereza y la confianza en la Providencia.

b) Junto a ello aparece el *alcance moral* de la obra: se denuncian los vicios y lacras de la época y se proclama la necesidad de fortalecer los espíritus. Con ello se enlaza la aspiración renacentista a *la Fama,* recompensa del hombre excelso.

c) En el *plano político* se condenan las contiendas civiles y se propugna una monarquía fuerte y unificadora.

Fácil será ver el enlace entre estos tres planos.

Pero tan importante como todo ello son los *propósitos artísticos* de Mena. Con una inquietud estilística sin precedentes, se propone la creación de una lengua poética netamente alejada del habla corriente, tomando como modelo la lengua latina (se ha señalado la afinidad de su intento con el del culteranismo de Góngora en el siglo XVII). Sus principales rasgos —junto a las alusiones mitológicas y la erudición clásica— serían los cultismos o neologismos del vocabulario, los giros sintácticos latinizantes (hipérbatos, etc.) y toda clase de artificios retóricos (paralelismos, amplificaciones, etc.). Y todo ello aparece reforzado —a veces, condicionado, como ha probado F. Lázaro— por las férreas imposiciones del *verso de arte mayor castellano,* que aporta, además, su sonoridad rotunda, su ritmo potente.

La lengua poética del *Laberinto* es la más audaz de la línea cultista, retoricista, del siglo XV. La primera consecuencia es su oscuridad, su dificultad. Pero también su caducidad: en efecto, el estilo del Mena cultista nos resulta hoy muy distante. En este terreno —y sin olvidar la sobriedad manriqueña—, sería, una vez más, Garcilaso quien habría de fraguar una nueva lengua poética.

Significación

De lo expuesto se deduce el lugar que Mena ocupa en la historia de la literatura. En su tiempo sólo Santillana le igualó en fama. Añadamos (con M.ª Rosa Lida) que es la figura más característica del llamado *Prerrenacimiento:* recibe y asume la herencia del «espíritu medieval» y tiene la visión de los nuevos horizontes; su devoción por los clásicos no disminuye su aprecio por sus antecesores medievales. En suma, «es el artista representativo de una hora dual de fecundo conflicto y agitada transición» (Lida).

6

CANCIÓN

¹ Para que.

Porque[1] más sin duda creas
mi gran pena dolorida,
déte Dios tan triste vida
que ames y nunca seas
amada ni bien querida.   5

Y con esta vida tal
pienso bien que creerás
el tormento desigual
que sin merecer me das.
Pues que muerte me deseas   10
sin tenerla merecida,
déte Dios tan triste vida
que ames y siempre seas
desamada y mal querida▼.

▼ La *canción* es la forma más característica de la lírica de amor cortés. Su forma
más sencilla consta de tres partes que, como en este caso, responden al esquema de
estribillo, mudanza y *vuelta* (ya hemos visto algún ejemplo en Santillana y veremos más
en Manrique y otros). Aquí, la *vuelta* repite parcialmente las palabras del estribillo, con
sus mismas rimas (se llamaba entonces *represa*). Desarrolla Mena en estos versos el
tema central del amor no correspondido, pero es original su reacción deseando a la
dama un sufrimiento semejante al suyo. Por lo demás, son típicas las hipérboles sobre
el dolor: señálense.

7

RAZONAMIENTO QUE HACE JUAN DE MENA CON LA MUERTE▼

(*Fragmentos*)

«Muerte que a todos convidas,
¿dime qué son tus manjares?»
«Son tristezas y pesares,
llantos, voces doloridas;
5   en posadas mal guarnidas[2]
entran sordos, ciegos, mudos,
donde olvidan los sesudos
fueros, leyes y partidas[3].» [...]

[...............]
[2] Mal provistas, mal equipadas.

[...............]
[3] Leyes.

«Los que son tus convidados,
10   Muerte, ¿dime lo que hacen?»
«So[4] la tierra dura yacen
para siempre sepultados,
desnudos todos, robados,
caídos son en pobreza;
15   no les vale la riqueza,
ni tesoros mal ganados [...]

[...............]
[4] Bajo.

»De todo cuanto ganaron
en aquesta vida estrecha,
no les vale ni aprovecha
20   salvo sólo el bien que obraron;
que si tierra conquistaron,
o por fuerza o por maña,
cuantos de ellos hubo saña
poco les aprovecharon.»

▼ He aquí una primera muestra de la *poesía moral* del siglo XV. El tema y su enfoque son muy significativos: véanse las notas siguientes. La estrofa empleada es la *copla de arte menor:* observa las rimas (que podrían presentar otras distribuciones) y ten en cuenta, para leer bien los versos, que no siempre se hacen las sinalefas.

«Según esto, tú mataste   25
a Adán el nuestro padre,
pues a Eva nuestra madre,
Muerte, no le perdonaste;
Alixandre[5] derribaste
de la silla poderosa;   30
en la casa tenebrosa
al rey Dario[6] encarcelaste [...]▼.

»Si los griegos y troyanos,
Muerte, a todos venciste,
y tú sola dispusiste   35
los pontífices romanos,
de los príncipes cristianos
no perdonas a ninguno,
antes tomas uno a uno
cuantos puedes con tus manos.   40

»Padre Santo, emperadores,
cardenales, arzobispos,
patriarcas y obispos,
reyes, duques y señores,
los maestros y priores,   45
los sabios colegiales,
tú los haces ser iguales
con los simples labradores [...]▼▼.

. . . .
[5] Alejandro Magno.

. . . .
[6] El rey persa Darío (aquí es bisílaba por exigencia del ritmo = *Dá-rio*). Sigue una larga enumeración, que saltamos, de personajes famosos (cfr. *infra*).

||||||||||||||||||||||||||||||||||||||||||||||||||||||||||||||||||||||||||||||||||||||||||||||||||||||||||||||||||||||||||

▼ La visión de la muerte es terrible: ¿cómo se presenta en las primeras estrofas? Después, para ilustrar el poder de la muerte, el autor evoca a grandes personajes que la muerte se llevó (tal evocación concierne a 36 nombres y ocupa seis estrofas más, que saltamos). Estamos ante una variante de un recurso famoso en la Edad Media, llamado *Ubi sunt?* («¿Dónde están?»), y que consiste en recordar a hombres famosos para mostrar su transitoriedad.

▼▼ Nótese la afirmación del poder igualitario de la muerte.

»No aprovechan[7] los saberes,
50 ni las artes, ni las mañas,
ni proezas, nin hazañas,
grandes pompas, ni poderes,
grandes casas, nin haberes,
pues que todo ha de quedar,
55 salvo el solo bien obrar,
Muerte, cuando tú vinieres.

»Y Jesús glorificado,
que te dio tan gran poder
y te vino a obedecer
60 en la cruz crucificado,
me libre que, condenado,
yo no vaya en la partida[8]
cuando parta de esta vida,
mi mal mundo acabado.»

[7] De nada sirven.

[8] Que yo no vaya entre el conjunto de los condenados.

Finida

Quien oyere mi tratado   65
a obrar bien se convida,
pues la Muerte non olvida
a ninguno, mal pecado▾.

▾ Ante todo lo expuesto, el poeta adopta un enfoque de tipo moral: nótese en las
últimas estrofas y especialmente en la «finida». *Muy importante:* recuérdese lo dicho
aquí y en las dos notas anteriores, cuando se estudien las *Coplas* de Jorge Manrique.

8

EL LABERINTO DE FORTUNA
O LAS TRESCIENTAS

(Fragmentos)

DEDICATORIA E INVOCACIÓN

[1]   Al muy prepotente don Juan el segundo,
         aquel con quien Júpiter tuvo tal celo,
         que tanta de parte le hizo del mundo
         cuanta a sí mesmo se hizo en el cielo;
5   al gran rey de España, al César novelo[9],   [9] Nuevo.
         al que con Fortuna es bien fortunado,
         aquel en quien cabe virtud y reinado,
         a él, la rodilla hincada por suelo.

[2]   Tus casos falaces, Fortuna, cantamos,
10   estados[10] de gentes que giras y trocas,   [10] Condiciones o situa
         tus grandes discordias, tus firmezas pocas,   ciones sociales.
         y los que en tus ruedas quejosos fallamos,
         hasta que al tiempo de agora vengamos:
         de hechos pasados codicia mi pluma,
15   y de los presentes, hacer breve suma[11];   [11] Resumen.
         dé fin Apolo, pues nos comenzamos▼.

||||||||||||||||||||||||||||||||||||||||||||||||||||||||||||||||||||||||||||||||||||||||||||||||||||||||||||||||||||||||||||||||||||||||||||||

▼ En estas estrofas de la dedicatoria al rey Juan II destacaremos —aparte la
inevitables convenciones— el tema de la inconstancia de la Fortuna, idea que
responde a algo profundo de la época: el sentimiento de la inconsistencia de la vida.

— A partir de lo que se dice en la *Introducción* y en el *Apéndice* sobre el verso y la
estrofa *de arte mayor,* analícense estas dos octavas. Adviértase que la distribución de la
rimas difiere: el esquema de la primera estrofa es excepcional; la segunda, como la
demás que reproducimos, responde al modelo básico.

— Nótese, por lo demás, lo hinchado y retórico del estilo.

EN EL CÍRCULO DE VENUS: HISTORIA DE MACÍAS▼

[12] Círculo.

[13] Acabó.

[105]　Tanto anduvimos el cerco[12] mirando,
que nos hallamos con nuestro Macías,
y vimos que estaba llorando los días
con que su vida tomó fin[13] amando;　　　20
lleguéme más cerca turbado yo, cuando
vi ser un tal hombre de nuestra nación,
e vi que decía tal triste canción,
en elegíaco verso cantando:

[106]　«Amores me dieron corona de amores,　25
porque mi nombre por más bocas ande:
entonces no era mi mal menos grande,
cuando me daban placer sus dolores;
vencen el seso los dulces errores,
mas no dura siempre según luego placen;　30
pues me hicieron del mal que vos hacen,
sabed al amor desamar, amadores.

[107]　»Huid un peligro tan apasionado,
sabed ser alegres, dejad de ser tristes,
sabed deservir[14] a quien tanto servistes[15],　35
a otros que amores dad vuestro cuidado[16];
los cuales si diesen por un igual grado
sus pocos placeres según su dolor,
no se quejara ningún amador,
ni desesperara ningún desamado.　　　40

[14] Dejar de servir, esto es, de amar.

[15] Servisteis (forma antigua de la 2.ª pers. del plural).

[16] Desvelo, inquietud.

▼ Macías «el enamorado», trovador gallego del siglo XIV, se convirtió en símbolo de quien muere por amor (pereció muy joven a manos del marido de su amada). Hemos escogido este fragmento por varias razones: por lo pronto, por la belleza de algunos versos (señálense).

[108]   »Y bien como cuando algún malhechor,
         al tiempo que hacen de otro justicia,
         temor de la pena le pone codicia
         de allí adelante vivir ya mejor,
45   mas desque pasado por él el temor
         vuelve a sus vicios como de primero[17],   [17] Como anteriormente.
         así me volvieron a do desespero
         amores que quieren que muera amador▼.»

▼ Las palabras que Mena pone en boca de Macías contienen algunas ideas claves del *amor cortés* (estúdiense) y las presentan con un estilo muy característico (véanse, p. e., las contradicciones del tipo «me daban placer sus dolores» o «dulces errores»). Compárese con las poesías amorosas de Manrique y véase lo expuesto en las págs. 18-19. Otra idea debe destacarse: Macías aconseja que nadie siga su ejemplo, que no se sufra por amor (es el tema del «escarmiento»).

JORGE MANRIQUE

Vida y personalidad

Según tradición, nació Manrique hacia 1440 en Paredes de Nava (Palencia). Su familia, de rancio abolengo, anduvo metida de lleno en la vida política y militar de la época. Su padre, el famoso don Rodrigo, Maestre de la Orden de Santiago, peleó contra los moros y fue enemigo de don Álvaro de Luna, de Enrique IV y de «la Beltraneja». A su lado peleó desde joven nuestro poeta. Por lo demás, no es mucho lo que sabemos de su vida. En 1470 se casó con doña Guiomar de Meneses. Luchó en apoyo de Isabel la Católica. En noviembre de 1476, muere su padre de terrible enfermedad. Jorge —que embellecerá aquella muerte en sus *Coplas*— apenas le sobrevivirá dos años y medio: combatiendo al Marqués de Villena, enemigo de la reina, cayó herido cerca del castillo de Garcimuñoz (Cuenca) y murió en el vecino pueblo de Santa María de Campo Rus el 24 de abril de 1479. Tenía treinta y nueve años.

La vida de Manrique, como la de Santillana, une «las armas y las letras», fue guerrero y cortesano. Asumió los ideales nobiliarios y religiosos tradicionales, junto a algunos elementos del Renacimiento temprano. Su obra nos dará testimonio de una fina sensibilidad y una gravedad creciente.

Obra. Poemas de amor

La creación literaria de nuestro máximo poeta del XV es muy breve: 49 poemas de variable extensión. Aparte de las memorables *Coplas* —de las que hablaremos luego— y de tres *composiciones burlescas* —que no merecen mayor atención—, el resto de su obra es *poesía amorosa*. Examinémosla brevemente.

Como ya señaló Pedro Salinas, Manrique nos ofrece un denso compendio de la concepción del *amor cortés*. En sus versos, en efecto, hallaremos la idea del amor como servidumbre y adoración (con el endiosamiento de la dama); es una fuerza irresistible que arrastra a la razón y la voluntad; y es también contradicción y contienda íntima, dicha y dolor, vida y muerte... En la introducción y en el apéndice de esta antología sintetizamos estas ideas, pero los poemas amorosos de Manrique que aquí se leerán son la mejor introducción a esta línea lírica de tan amplias resonancias.

Esos poemas serán también ejemplo del *estilo* de la lírica cortesana, con su característico *conceptismo,* con su sutileza y su ingenio, sus juegos de palabras y de ideas, sus antítesis y sus paradojas, con su compleja retórica, en fin.

Es imposible decir qué hay en estos poemas de juego y de sentimiento profundo, pero no cabe duda de que son muestra de un estado significativo de la sensibilidad culta del momento. Y acaso hayan quedado injustamente oscurecidos al lado de las *Coplas.*

Por razones de espacio, sólo hemos seleccionado cuatro poemas de este sector. Citemos otros, muy bellos, como los que empiezan *Ni vivir quiere que viva...*, *Quien no estuviere en presencia...*, *No sé por qué me fatigo...*, *Es una muerte escondida...*, *Con dolorido cuidado...*

Coplas a la muerte de su padre

Sea cual sea la valoración que se haga del resto de su obra, lo indudable es que Manrique, en las *Coplas,* alcanzó una altura incalculable. Empecemos por su amplitud: se compone de 480 versos, repartidos en 40 estrofas. Son las llamadas *estrofas manriqueñas,* una variedad de *coplas de pie quebrado* («pie quebrado», o sea, «verso partido», es el tetrasílabo que se combina con los octosílabos). Se componen de doce versos repartidos en dos sextillas de este patrón: *8a, 8b, 4c; 8a, 8b, 4c.* En la lectura se percibirá el modo de fluir —lento o vivo, apesadumbrado o sereno, grave y hondo siempre— que Manrique imprime a sus estrofas.

Pero pasemos al contenido del poema.

La temática de las *Coplas* desborda ampliamente la circunstancia concreta que motivó su composición. Y es que no estamos ante unos versos con los que espontáneamente se desahoga un hombre transido de dolor. Son el fruto de largas y hondas meditaciones que el poeta desarrolló a partir del triste suceso. Por eso es natural que no pueda hablarse de «tema», sino de «una constelación de temas» (P. Salinas): la vanidad del mundo, la caducidad de la vida, el Tiempo, la Fortuna, la Muerte, la vida eterna... Las cuestiones son graves, pero ha de advertirse que no está en ellas mismas la originalidad de las *Coplas:* como veremos en las notas al texto, Manrique toma sus ideas de la *tradición ascética cristiana* de la Edad Media (aunque en algún punto, como señalaremos, da entrada a ideas renacentistas). Subrayemos que —frente a una concepción vitalista: apego a la vida y horror a la muerte— Manrique predica el menosprecio del mundo y la aceptación serena de la muerte. Nada nuevo, pues. La originalidad de las *Coplas* debe buscarse en la *estructura* con que aquellas ideas se nos ofrecen. Y en su *expresión poética.* Veámoslo.

La estructura de las «Coplas»

El poema ha sido dividido, ya sea en *dos partes,* ya sea en *tres.*

Según la primera explicación, las *Coplas* se compondrían de dos bloques que podríamos llamar así:

a) *Sermón* (coplas 1-24). Reflexiones generales sobre la vida y la muerte.

b) *Epicedio* (= «canto a un difunto»), desde la estrofa 24 al final.

La *división tripartita,* en cambio, establece un proceso que va *de lo general a lo particular,* con estos pasos:

La muerte, la caducidad de la vida (coplas 1-14)

Los muertos, lo caducado (14-24)

El muerto (25-40)

Ambas divisiones son perfectamente compatibles. Aquí, partiendo de la primera, propondremos el siguiente esquema, para que se tenga presente en la lectura de las *Coplas:*

0. EXORDIO	Planteamiento temático e invocación	Cuatro coplas: 1-4

| 1. «SERMÓN» | **1.1.** Reflexiones sobre la inconsistencia de la vida y el poder de la muerte. | Diez coplas: 5-14 |
| | **1.2.** Ejemplos. Desfile de muertos ilustres *(Ubi sunt?)*. | Diez coplas: 15-24 |

| 2. «EPICEDIO» | **2.1.** Elogio del padre. | Ocho coplas: 25-32 |
| | **2.2** Llegada de la muerte. | Ocho coplas: 33-40 |

Dejando los detalles para las notas, se observará desde ahora lo equilibrado de tal estructura. Pero no ha faltado quien se extrañe de que no se hable del padre muerto hasta la copla 25, tras 288 versos sobre temas generales. Es como si el poeta hubiera invertido el proceso que parece natural: cabe imaginar, en efecto, que lo primero fue el dolor ante la pérdida del ser querido y la evocación de sus virtudes; luego, en un proceso explicable, su meditación le llevaría hacia ideas más generales. ¿Por qué adoptó Manrique la disposición contraria?

Pues bien, resulta que, en las estrofas 1-24, se nos está hablando de algo que *nos concierne:* se nos hace ahondar en nuestra condición humana, fugitiva y mortal. Y luego, cuando aparezca el Maestre, lo veremos como algo más cercano: será —digamos— «nuestro hermano en la muerte»; aunque, a la vez, se nos presente como un modelo de vivir y de morir.

En suma, la elegía es doble: *una elegía por su padre,* sí; pero antes hemos oído *una elegía por todos nosotros**.

---

* Acaso no sea inoportuno recordar, a este respecto, aquellas famosas palabras de John Donne, poeta inglés del siglo XVII: «¿Por quién doblan las campanas? No lo preguntes: es por ti».

El estilo de las «Coplas»

En su lengua poética encontraremos más razones de su capacidad de conmover a lectores de varios siglos. Ante todo, Manrique renuncia («ascéticamente», diríamos) a toda la hinchazón o retorcimiento retórico antes usuales. *Naturalidad* es la palabra más pronunciada sobre el estilo de las *Coplas. Sobriedad, gravedad, hondura* son otros apelativos adecuados.

Dentro de esa línea, Manrique emplea recursos muy eficaces: así, junto a *frases sentenciosas,* acude a *exhortaciones* y a penetrantes *interrogaciones* al lector, o a *exclamaciones* cargadas de emoción. No abusa de las *imágenes,* pero las hay certeras y bellísimas (se señalarán en la lectura). Y la misma oportunidad caracteriza el empleo de otros recursos: paralelismos, antítesis, sustantivación de infinitivos, etc.

Y, por encima de todo, hay algo asombroso (y que sólo en parte se deriva de lo dicho): estamos ante un lenguaje mucho más cercano a nosotros, como se comprobará, de lo que nos ofrece la poesía de aquel momento.

Conclusión

Se ha dicho que, si no hubiera escrito las *Coplas,* Manrique sería un autor secundario. Ello es, sin duda, injusto: su poesía amorosa —por ese carácter de «compendio», por su sutileza y elegancia— merece ocupar un puesto destacado en la lírica española de su tiempo. Lo que sucede es que las *Coplas* lo sitúan en un puesto destacado de la lírica universal de todos los tiempos. Así lo atestiguan sus numerosas traducciones a otras lenguas y, sobre todo, su fama sin altibajos y su capacidad de admirarnos y emocionarnos hoy mismo.

9

DICIENDO QUÉ COSA ES AMOR

Es amor fuerza tan fuerte,
que fuerza toda razón;
una fuerza de tal suerte,
que todo seso[1] convierte
en su fuerza[2] y afición;   5
    una porfía forzosa
que no se puede vencer,
cuya fuerza porfiosa
hacemos más poderosa
queriéndonos defender.   10

Es placer en que hay dolores,
dolor en que hay alegría,
un pesar en que hay dulzores,
un esfuerzo[3] en que hay temores,
temor en que hay osadía;   15
    un placer en que hay enojos[4],
una gloria en que hay pasión[5],
una fe en que hay antojos[6],
fuerza que hacen los ojos
al seso y al corazón.   20

Es una cautividad
sin parecer las prisiones[7];
un robo de libertad,
un forzar de voluntad
donde no valen razones;   25
    una sospecha celosa
causada por el querer,
una rabia deseosa
que no sabe qué es la cosa
que desea tanto ver.   30

Mente, razón.

Inclinación inevitable.

Valor, valentía.

Desagrados.

Sufrimiento (significado primitivo).

Una confianza en que hay dudas.

Sin que se vean las cadenas.

Es un modo de locura
con las mudanzas[8] que hace:
una vez pone tristura,
otra vez causa holgura[9]:
35   como lo quiere y le place.
Un deseo que al ausente
trabaja[10], pena y fatiga;
un recelo que al presente
hace callar lo que siente,
40   temiendo pena que diga.

[8] Cambios (idea de in
constancia).

[9] Regocijo, alegría.

[10] Atormenta.

FIN

Todas estas propiedades
tiene el verdadero amor.
El falso, mil falsedades,
mil mentiras, mil maldades,
45   como fingido traidor.
El toque para tocar[11]
cuál amor es bien forjado,
es sufrir el desamar,
que no puede comportar
50   el falso sobredorado▼.

[11] Alude a la «piedra d
toque» con la que s
prueba la autenticidad d
un metal; por ej., e
oro.

|||||||||||||||||||||||||||||||||||||||||||||||||||||||||||||||||||||||||||||||||||||||||||||||||||||||||||||||||||||||||||||||||||||||||

▼ Por su contenido y por su estilo, este poema es muy representativo de la líric
cortesana de tema amoroso.

— Véase qué rasgos del amor cortés se hallan presentes en estas estrofas: el amo
como contradicción, como fuerza irresistible que arrastra entendimiento y voluntac
como locura, sufrimiento, etc.

— El conceptismo propio de este tipo de poesía se manifiesta aquí de varia
maneras: por ejemplo, en la primera estrofa, por la llamada «figura etimológica» (e
juego con la palabra *fuerza* y sus derivadas); en la segunda estrofa se recurre al «jueg
de opósitos» (definición del amor mediante paradójicas uniones de términos contr
rios; es algo muy típico del amor cortés, que prolongarán poetas posteriores com
Lope o Quevedo).

— La estrofa empleada es la *copla real* (analícese).

10

12 Sobre las palabras *glosa* y *mote,* cfr. *infra.*

GLOSA DEL MOTE[12]

«NI MIENTO NI ME ARREPIENTO»

Ni miento ni me arrepiento,
ni digo ni me desdigo,
ni estoy triste ni contento,
ni reclamo ni consiento,
ni fío, ni desconfío: 5
ni bien vivo, ni bien muero,
ni soy ajeno, ni mío[13],
ni me venzo, ni porfío,
ni espero, ni desespero.

13 Ni soy de ella (porque
no me quiere) ni mío
(porque me he dado a
ella).

Conmigo solo contiendo   10
en una fuerte contienda,
y no me hallo quien me entienda,
ni yo tampoco me entiendo.
Entiendo y sé lo que quiero,
mas no entiendo lo que quiera   15
quien quiere siempre que muera
sin querer creer que muero▼.

|||||||||||||||||||||||||||||||||||||||||||||||||||||||||||||||||||||||||||||||||||||||||||||||||||||||||||||||||||||||||||||||||

▼ Un *mote* era una divisa o una sentencia breve que se tomaba como base de un
poema. Estas *glosas* (comentarios o desarrollo de una frase) constituyen un juego
poético muy propio del siglo XV. En este poemita se hallarán algunos rasgos análogos
los vistos en el anterior (señálense). Se añadirá la idea del amor como lucha interior y
como algo incomprensible, además de la hipérbole «morir de amor». En cuanto a la
forma, hallamos en la primera estrofa lo que dos siglos después llamaría Gracián
«agudeza por contradicción». Y al final (vv. 14-17) el juego verbal se hace casi
trabalenguas o «trabamentes». En suma, el conocido conceptismo cortesano. Versificación: una *copla mixta* y una *copla castellana* (ésta presenta las rimas del tipo «macho y
hembra»: *contiendo-contienda,* etc.).

11

GLOSA DEL MOTE
«SIN DIOS, Y SIN VOS Y MÍ»

Yo soy quien libre me vi,
yo quien pudiera olvidaros;
yo soy el que por amaros
estoy, desque[14] os conocí,

[14] Desde que.

5   sin Dios, y sin vos y mí.

Sin Dios, porque en vos[15] adoro,

[15] A vos.

sin vos, pues no me queréis,
pues sin mí ya está de coro[16]

[16] Ya es bien sabido.

que vos sois quien me tenéis.
10   Así que triste nací,
pues que pudiera olvidaros,
yo soy el que por amaros
estoy, desque os conocí,
sin Dios, y sin vos y mí▼.

▼ No es Manrique el primero ni el último en glosar este *mote* (véase el soneto
Figueroa n.º **57**). Nos hallamos de nuevo ante un razonamiento conceptuoso, ante
juego de ingenio muy característico. El endiosamiento de la dama es otro tema c
amor cortés. El *sin mí* es la idea de estar enajenado, desposeído del propio ser (cfr.
verso 7.º del poema anterior). La forma métrica es la más característica de la *canci*
(recuérdese, p. e., el n.º **6** de Mena): analícese.

12

CANCIÓN

No tardes, Muerte, que muero;
ven, porque[17] viva contigo;
quiéreme, pues que te quiero,
que con tu venida espero
no tener guerra conmigo.   5

Remedio de alegre vida
no lo hay por ningún medio,
porque mi grave herida
es de tal parte venida,
que eres tú sola remedio.   10
Ven aquí, pues, ya que muero;
búscame, pues que te sigo;
quiéreme, pues que te quiero,
y con tu venida espero
no tener vida conmigo▼.   15

[7] Para que.

▼ Es otra típica *canción* (compárese con la anterior). Por la idea central (deseo de morir para dejar de sufrir), enlaza con la famosa canción del Comendador Escrivá (n.º **19**). Recuérdese asimismo el famoso «que muero porque no muero» (Santa Teresa, n.º **53**). Señálese la paradoja del verso 2.º.

13

COPLAS A LA MUERTE DE SU PADRE

[I]   Recuerde[18] el alma dormida▼,   [18] Despierte.
           avive el seso[19] y despierte,
           contemplando   [19] El entendimiento.
           cómo se pasa la vida,
5   cómo se viene la muerte
           tan callando;
           cuán presto se va el placer,
           cómo después de acordado
           da dolor,
10   cómo, a nuestro parecer,
           cualquiera tiempo pasado
           fue mejor▼▼.

||||||||||||||||||||||||||||||||||||||||||||||||||||||||||||||||||||||||||||||||||||||||||||||||||||||||||||||||||||||||||||||

▼ Las tres primeras estrofas, a manera de *exordio* o introducción, plantearán los *temas centrales* de la primera parte («sermón») del poema. Préstese, pues, la máxima atención a estos versos.

▼▼ Comienza el poema con *exhortaciones* (que abundarán también en adelante): ¿a qué se debe ello? La copla I presenta otros puntos de interés:
— ¿Qué significado ascético tiene esa triple llamada a «despertar»?
— ¿Qué oposición se establece entre los versos 4 y 5?
— La huida o inconsistencia de los placeres reaparecerá luego: téngase en cuenta.
— La *sentenciosidad* del poema aparece ya en la famosa frase de los versos 10-12. Por cierto, esa sentencia admite dos interpretaciones: *a)* «Los tiempos actuales son peores que los pasados»; *b)* «Los años pasados de una persona eran mejores porque quedaba más vida por delante».

[II]   Pues, si vemos lo presente
            cómo en un punto se es ido[20]   [20] En un instante se ha
15   y acabado,   ido.
            si juzgamos sabiamente,
            daremos lo no venido
                por pasado.
            No se engañe nadie, no,
20   pensando que ha de durar
                lo que espera
            más que duró lo que vio,
            pues que todo ha de pasar
                por tal manera[21]▼.   [21] De igual manera.

25   [III]   Nuestras vidas son los ríos
            que van a dar en la mar
                que es el morir:
            allí van los señoríos
            derechos a se acabar
30   y consumir;

||||||||||||||||||||||||||||||||||||||||||||||||||||||||||||||||||||||||||||||||||||||||||||||||||||||||||||||||||||||||||||

▼ La copla II se centra en el *tema del tiempo* (anticipado en el verso 4): muéstres[e]
cómo se manifiesta el *desengaño* del tiempo (y téngase en cuenta que el poeta opondr[á]
la *eternidad* al vivir temporal).

En cuanto a la métrica, obsérvese que el último verso tiene *cinco* sílabas (y n[o]
cuatro). Ello sucederá no pocas veces —como se irá viendo— y puede deberse a d[os]
fenómenos. En este caso, a la *compensación silábica:* el verso 23 termina en aguda y [la]
sílaba que «le falta» compensa la que «le sobra» al verso 24. Lo esencial es que entr[e]
un verso y el *pie quebrado* siguiente sumen *doce* sílabas. (Este fenómeno de [la]
compensación no es nada extraño: concierne a los siguientes versos de las *Coplas:* 27, 3[0]
63, 105, 108, 183, 186, 213, 216, 315, 318, 321, 324, 330, 363, 366, 417, 420 y 459).

[22] Caudalosos, importantes.

[23] Una vez llegados (a la muerte).

allí los ríos caudales[22],
allí los otros, medianos
          y más chicos,
allegados[23] son iguales,
los que viven por sus manos   35
          y los ricos▼.

[*Invocación*]

[IV]   Dejo las invocaciones
de los famosos poetas
          y oradores;

[24] No me preocupo.

[25] Venenos.

no curo[24] de sus ficciones,   40
que traen yerbas secretas[25]
          sus sabores;
a Aquel sólo me encomiendo,
aquel sólo invoco yo
          de verdad,   45
que en este mundo viviendo,
el mundo no conoció
          su deidad▼▼.

▼ Esta famosísima copla III plantea el tema de la *muerte* (anticipado en el verso 5 de la primera estrofa). El acierto está en la metáfora continuada sobre los *ríos* y *el mar:* ¿conoces otros poemas posteriores en que aparezca la misma imagen? El final de esta estrofa proclama el *poder igualitario de la muerte,* idea propia de las *Danzas de la Muerte* (cf. n.º 14): ¿tiene ello un alcance social o sólo moral? (Un crítico ha hablado de «democracia de ultratumba»: ¿qué pensar?)

▼▼ Los poetas clásicos, al comienzo de sus poemas, solían invocar a las musas o a algún dios o diosa paganos; Manrique, aquí, vuelve la espalda a aquella tradición, resucitada en el Renacimiento, y se vincula a la tradición cristiana medieval, invocando a Cristo.

[V]   Este mundo es el camino
50   para el otro, que es morada
                        sin pesar;
              mas cumple tener buen tino
              para andar esta jornada
                        sin errar.
55   Partimos cuando nacemos,
              andamos mientras vivimos,
                        y llegamos
              al tiempo que fenecemos;
              así que cuando morimos
60   descansamos.

[VI]   Este mundo bueno fue
              si bien usásemos de él
                        como debemos,
              porque, según nuestra fe,
65   es para ganar aquel
                        que atendemos²⁶.

---
²⁶ Esperamos.

Y aun aquel Hijo de Dios
para subirnos al cielo
descendió
70   a nacer acá entre nos,
y a vivir en este suelo
do murió▼.

[VII]   Si fuese²⁷ en nuestro poder
tornar la cara hermosa
75   corporal,
como podemos hacer
el ánima glorïosa
angelical,
¡qué diligencia tan viva
80   tuviéramos toda hora
y tan presta
en componer la cautiva²⁸,
dejándonos la señora²⁹
descompuesta!

²⁷ Si estuviese.

²⁸ En arreglar, ataviar
engalanar a la escla◄
(= la cara).

²⁹ El alma.

▼ Las estrofas V y VI comienzan a desarrollar el tema del «menosprecio d◄
mundo» *(de contemptu mundi)*. Recuérdese que estamos ante el enfoque ascéti◄
medieval, frente al enfoque vitalista que arranca del Arcipreste de Hita (s. XIV)
culminará en la valoración renacentista del mundo y de la vida (p. e., tema del *Car◄
diem*). Muéstrese qué valor y qué papel asigna Manrique a este mundo. Por otra part◄
véase cómo el fluir de la vida se refleja en la densidad de formas verbales parónim◄
en los versos 55-60.

[VIII]

Ved de cuán poco valor   85
son las cosas tras que andamos
    y corremos,
que, en este mundo traidor,
aun primero[30] que muramos
    las perdemos: 90
de ellas[31] deshace la edad,
de ellas casos desastrados[32]
    que acaecen,
de ellas, por su calidad,
en los más altos estados   95
    desfallecen[33]▼.

[30] Antes.

[31] Unas... otras...
otras...

[32] Desgracias.

[33] Declinan, decaen.

[IX]

Decidme, la hermosura,
la gentil frescura y tez[34]
    de la cara,
la color y la blancura,   100
cuando viene la vejez,
    ¿cuál se para[35]?

[34] Cutis; color y suavidad
del rostro.

[35] ¿En qué se queda?

||||||||||||||||||||||||||||||||||||||||||||||||||||||||||||||||||||||||||||||||||||||||||||||||||||||||||||||||||||||||||||||||||||||

▼ En la estrofa VII Manrique, partiendo de un punto concreto, critica el apego a los valores mundanos. Y en la VIII habla de lo mismo en un plano más general y desvelando la caducidad de tales valores. La idea de la inestabilidad de la Fortuna —que se hará explícita más tarde— está implícita ya en algunos versos (¿cuáles?).

Métrica: El verso 78 («angelical») tiene también *cinco* sílabas métricas. Se trata ahora de otro fenómeno: la *sinalefa entre versos,* que se produce entre un octosílabo terminado en vocal y el «pie quebrado» con vocal inicial: «el ánima glorïosạ angelical». Una vez más, lo esencial es que entre dos versos sumen *doce* sílabas. (Afecta este hecho a los siguientes «pentasílabos» de las *Coplas:* 114, 132, 150, 240, 294, 414 y 465. Compruébese cómo todos ellos van enlazados por sinalefa con el anterior).

Las mañas y ligereza
y la fuerza corporal
105   de juventud
todo se torna graveza[36]
cuando llega al arrabal
de senectud▼.

[36] Pesadez, torpeza.

[X]   Pues la sangre de los godos[37]
110   y el linaje y la nobleza
tan crecida,
¡por cuántas vías y modos
se sume su gran alteza[38]
en este vida!
115   ¡Unos, por poco valer,
por cuán bajos y abatidos
que los tienen!
Y otros, por no tener,
con oficios no debidos
120   se mantienen.

[37] La sangre noble por antonomasia.

[38] Se hunde su gran altura o excelencia.

[XI]   Los estados[39] y riquezas,
que nos dejan a deshora,
¿quién lo duda?
No les pidamos firmeza,
125   pues que son de una señora
que se muda[40];

[39] Estamentos, jerarquías sociales.

[40] Que cambia, que es inconstante.

▼ La copla IX hace aplicaciones concretas de lo que se acaba de exponer, mostrando el poder destructor del tiempo sobre la belleza y la fuerza juvenil. Nótese cómo se pone de relieve la oposición entre *juventud* y *senectud* (y atención: algo distinto se verá luego, en la estrofa XXXI). Otras cosas: ¿Qué valor tiene la interrogación retórica del verso 102? ¿Qué «imagen» aparece al final de la estrofa?

que bienes son de Fortuna
que revuelve con su rueda
          presurosa,

....
[41] No puede ser siempre
la misma.

la cual no puede ser una[41],   130
ni estar estable ni queda[42]

....
[42] Quieta.

en una cosa▼.

....
[43] Pero admitamos que...   **[XII]**

....
[44] Tumba.

Pero digo que[43] acompañen
y lleguen hasta la huesa[44]
          con su dueño: 135
por eso no nos engañen,
pues se va la vida apriesa
          como sueño.
Y los deleites de acá
son en que nos deleitamos   140
          temporales,
y los tormentos de allá,
que por ellos esperamos,
          eternales▼▼.

||||||||||||||||||||||||||||||||||||||||||||||||||||||||||||||||||||||||||||||||||||||||||||||||||||||||||||||||||||||||||||||

▼ En esta estrofa XI, aparece con toda contundencia el tema de *la Fortuna,* cuya significación y alcance ya conocemos (recuérdese lo dicho a propósito de obras de Santillana y de Mena).

▼▼ Advierte Manrique en XII que, aunque no se pierdan las riquezas en esta vida, es la vida misma la que se pierde de prisa: relaciona la expresión de esta idea con un famoso título de Calderón de la Barca. Observa, además, cómo la construcción de los versos realza la oposición entre *deleites temporales* y *tormentos eternales:* alcance ascético.

145 **[XIII]** Los placeres y dulzores
            de esta vida trabajada[45]   [45] Penosa.
                que tenemos,
            ¿qué son sino corredores[46],   [46] Soldados que acechan
            y la muerte la celada[47]   en avanzadilla.
150   en que caemos?   [47] Emboscada.
            No mirando nuestro daño,
            corremos a rienda suelta
                sin parar;
            desque[48] vemos el engaño   [48] Cuando.
155   y queremos dar la vuelta,
                no hay lugar▼.

     [XIV] Esos reyes poderosos
            que vemos por escrituras
                ya pasadas,
160   con casos tristes llorosos
            fueron sus buenas venturas
                trastornadas;
            así que no hay cosa fuerte,
            que a papas y emperadores
165   y prelados
            así los trata la muerte
            como a los pobres pastores
                de ganados▼▼.

||||||||||||||||||||||||||||||||||||||||||||||||||||||||||||||||||||||||||||||||||||||||||||||||||||||||

▼ Las alusiones a los placeres y al «engaño» ya habían aparecido (¿dónde?). Ahora, en la copla XIII, observaremos cómo Manrique emplea ciertas palabras propias de la vida militar, que tan familiar le era: señálense. (La idea de la «batalla» con la muerte reaparecerá en la estrofa XXXV).

▼▼ Esta estrofa XIV sirve de transición entre la parte general de las *Coplas* y la siguiente: ¿por qué? Además, los versos 164-168 insisten en una idea expuesta ya en la famosa copla III: ¿cuál es?

[**XV**]   Dejemos a los troyanos,
que sus males no los vimos,   170
ni sus glorias;
dejemos a los romanos,
aunque oímos y leímos
sus historias;
no curemos[49] de saber   175
lo de aquel siglo pasado[50]
qué fue de ello;
vengamos a lo de ayer[51],
que también es olvidado
como aquello▼.   180

....
[49] No nos ocupemos.
....
[50] Tiempo lejano.

....
[51] Ocupémonos de lo reciente.

||||||||||||||||||||||||||||||||||||||||||||||||||||||||||||||||||||||||||||||||||||||||||||||||||||||||||||||||||||||||||||||||||||||||

▼ Comienza en la estrofa XV, como sabemos, el desarrollo del *Ubi sunt?* ¿Qué precedente conocemos, sin salir de los textos recogidos en esta antología? Según Pedro Salinas, la *originalidad* de Manrique, al cultivar este viejo recurso, radica en una triple *reducción:*
— Reducción en el *número:* sólo se cita a ocho personajes (Mena, recuérdese, evocaba a 36).
— Reducción en el *tiempo:* deja a los antiguos (véase esta estrofa) y se centra en hombres del pasado inmediato.
— Reducción en el *espacio:* sólo habla de personajes españoles (a veces, ni dice su nombre: el lector los conocía bien).
Con todo ello se proponía dar a este recurso unas dimensiones más cercanas, más humanas (y con ecos autobiográficos, como se verá). Nótese, además, que Manrique no usa la fórmula «¿Dónde están»?, sino otras equivalentes, y con variaciones que rompen la monotonía y aportan una nueva viveza.

[XVI]   ¿Qué se hizo el rey don Juan[52]?   [52] Juan II, muerto en
              Los infantes de Aragón[53],   1454.
                    ¿qué se hicieron?
              ¿Qué fue de tanto galán?   [53] Hijos de Fernando I
185   ¿Qué fue de tanta invención[54]   de Aragón y enemigos de
                    como trajeron?   Juan II.
              Las justas y los torneos,   [54] Creación poética.
              paramentos, bordaduras,
                    y cimeras[55],   [55] Adornos, bordados y
190   ¿fueron sino devaneos?   penachos de los yelmos.
              ¿Qué fueron sino verduras
                    de las eras[56]?   [56] Verdor de los cam-
                                                          pos.

[XVII]   ¿Qué se hicieron las damas,
              sus tocados, sus vestidos,
195   sus olores?
              ¿Qué se hicieron las llamas
              de los fuegos encendidos
                    de amadores?
              ¿Qué se hizo aquel trovar,
200   las músicas acordadas[57]   [57] Armónicamente com-
                    que tañían?   puestos.
              ¿Qué se hizo aquel danzar,
              aquellas ropas chapadas[58]   [58] Con adornos de oro y
                    que traían▼?   plata.

||||||||||||||||||||||||||||||||||||||||||||||||||||||||||||||||||||||||||||||||||||||||||||||||||||||||||||||||||||||||||||||||

▼ En las estrofas XVI-XVII se recuerda a Juan II de Castilla y su ambiente con especial brillantez; incluso se diría que el poeta se recrea en su evocación. ¿Qué aspectos de la *vida cortesana* nos pinta? El pasaje ofrece versos muy hermosos: destáquense. ¿Y qué valor tienen estas preguntas sin respuesta?

⁵⁹ Enrique IV.

⁶⁰ Halagador.

[XVIII]

Pues el otro su heredero⁵⁹,   205
don Enrique, ¡qué poderes
            alcanzaba!
¡Cuán blando, cuán halaguero⁶⁰
el mundo con sus placeres
            se le daba!   210
Mas veréis cuán enemigo,
cuán contrario, cuán cruel
            se le mostró,
habiéndole sido amigo,
cuán poco duró con él   215
            lo que le dio.

[XIX]

Las dádivas desmedidas,
los edificios reales
            llenos de oro,

⁶¹ Vajillas tan bien labradas (de oro y plata). Eran signo externo de riqueza.

⁶² Dos monedas de la época.

⁶³ Adornos de los corceles.

las vajillas tan fabridas⁶¹   220
los enriques y reales⁶²
            del tesoro,
los jaeces⁶³, los caballos
de su gente, y atavíos
            tan sobrados,   225
¿dónde iremos a buscallos?
¿qué fueron sino rocíos
            de los prados▼?

|||||||||||||||||||||||||||||||||||||||||||||||||||||||||||||||||||||||||||||||||||||||||||||||||||||||||||||||||||||||||||||||||||||||||||||||||||

▼ Las coplas XVIII-XIX recuerdan a Enrique IV y su mundo. ¿Se nota por estos versos que los Manrique fueron enemigos suyos? Por lo demás, ¿qué versos cabe destacar por su belleza y por su semejanza con otros anteriores?

[XX]   Pues su hermano el inocente[64],
230   que en su vida sucesor
                    se llamó,
            ¡qué corte tan excelente
            tuvo, y cuánto gran señor
                    le siguió!
235   Mas, como fuese mortal,
            metiólo la Muerte luego
                    en su fragua.
            ¡Oh juicio divinal!,
            cuando más ardía el fuego
240   echaste agua▼.

[64] Alfonso, que murió de catorce años, y a quien habían querido entronizar ciertos nobles enemigos de Enrique IV (entre ellos, los Manrique).

▼ ¿Se aprecia ahora, en la estrofa XX, que los Manrique fueron partidarios del infante don Alfonso? Por lo demás, el interés de la estrofa está en que se nos presenta una vida truncada prematuramente, una muerte «a deshora» (P. Salinas). Véase el tono elegíaco y las gráficas imágenes empleadas en los versos 235-240.

[XXI]

> 65 Don Álvaro de Luna,
> poderoso privado de
> Juan II que fue condena-
> do a muerte en 1453. Los
> Manrique lo combatie-
> ron.

Pues aquel grand condestable[65],
maestre que conocimos
    tan privado,
no cumple que de él se hable,
sino sólo que lo vimos   245
    degollado.
    Sus infinitos tesoros,
sus villas y sus lugares,
    su mandar,
¿qué le fueron sino lloros?   250
¿fuéronle sino pesares
    al dejar?

[XXII]

> 66 Dos nobles, don Juan
> Pacheco y don Pedro Gi-
> rón que fueron, respecti-
> vamente, maestres de las
> órdenes de Santiago y de
> Calatrava. Fueron enemi-
> gos de los Manrique.

> 67 Matada, apagada (cfr.
> «matar una vela»).

Pues los otros dos hermanos[66],
maestres tan prosperados
    como reyes,   255
que a los grandes y medianos
trajeron tan sojuzgados
    a sus leyes,
    aquella prosperidad
que tan alta fue subida   260
    y ensalzada,
¿qué fue sino claridad,
que estando más encendida
    fue amatada[67]▼?

▼ Las coplas XXI y XXII hablan —sin necesidad de decir sus nombres— de personajes de quienes los Manrique fueron también enemigos: ¿Se trasluce tal circunstancia en estos casos? Al hablar de Don Alvaro de Luna, es especialmente de destacar la actitud circunspecta, digna, elegante del poeta.

265 **[XXIII]**   Tantos duques excelentes,
                      tantos marqueses y condes,
                            y varones
                      como vimos tan potentes,
                      di, Muerte, ¿dó los escondes
270   y traspones[68]?   [68] Ocultas.
                      Y las sus claras hazañas
                      que hicieron en las guerras
                            y en las paces,
                      cuando tú, cruda, te ensañas,
275   con tu fuerza las atierras[69]   [69] Echas por tierra.
                            y deshaces.

     [XXIV]   Las huestes innumerables,
                      los pendones y estandartes
                            y banderas,
280   los castillos impugnables[70],   [70] Inexpugnables.
                      los muros y baluartes
                            y barreras,
                      la cava honda chapada[71],   [71] Foso o trinchera de-
                      o cualquier otro reparo[72],   fendida por chapas metá-
                                                                licas.
285   ¿qué aprovecha?,
                      que, si tú vienes airada,   [72] Obstáculo.
                      todo lo pasas de claro[73]
                            con tu flecha▼.   [73] Lo atraviesas de parte
                                                                a parte.

▼ El *Ubi sunt?* termina con estas dos estrofas (XXIII-XXIV) que evocan, de nuevo, un personaje colectivo. Compárense con las XVI-XVII: si allí veíamos el mundo cortesano, ahora estamos ante el mundo guerrero (son los dos mundos de Manrique). Y vemos una Muerte vencedora de héroes y ejércitos, en terrible batalla. Es una Muerte implacable como en las *Danzas de la Muerte:* ¿qué expresiones lo manifiestan así? Por lo demás, coméntense los detalles y la vivacidad de la evocación, a la que contribuye el uso del *polisíndeton* (abundancia de *y*). Y aplíquese a esta estrofa lo dicho a propósito de la XIII.

[XXV]   Aquel de buenos abrigo,
           amado por virtuoso   290
               de la gente,
           el maestre don Rodrigo
           Manrique, tanto famoso
               y tan valiente,
           sus hechos grandes y claros   295
           no cumple[74] que los alabe,
               pues los vieron,
           ni los quiero hacer caros[75],
           pues el mundo todo sabe
               cuáles fueron.   300

[XXVI]   ¡Qué amigo de sus amigos!
           ¡Qué señor para criados
               y parientes!
           ¡Qué enemigo de enemigos!
           ¡Qué maestro de esforzados[76]   305
               y valientes!
           ¡Qué seso para discretos!
           ¡Qué gracia para donosos[77]!
               ¡Qué razón!
           ¡Qué benigno a los sujetos[78],   310
           y a los bravos y dañosos
               qué león▼!

[74] No hace falta.

[75] Encarecer, alabar mucho.

[76] Sinónimo de *valientes*.

[77] Graciosos.

[78] Los sometidos, los súbditos, los leales.

▼ Ya hemos entrado en la última parte del poema (la «elegía» propiamente dicha). La estrofa XXV nos presenta a don Rodrigo (¿cómo?) y, pese a lo que en ella se dice, la estrofa XXVI estalla en alabanzas: ¿con qué tipo de frases? ¿Qué imagen nos da esta copla del personaje? Nótese la combinación de cualidades «cortesanas» y «guerreras». Y destáquese el contrapeso o equilibrio entre cualidades diversas.

[XXVII]   En ventura Octaviano,
                Julio César en vencer
315   y batallar,
                en la virtud Africano[79],   [79] Escipión el Africano.
                Aníbal en el saber
                      y trabajar,
                en la bondad un Trajano,
320   Tito en liberalidad
                      con alegría,
                en su brazo Aureliano,
                Marco Atilio en la verdad
                      que prometía.

325 **[XXVIII]**   Antonio Pío en clemencia,
                Marco Aurelio en igualdad
                      del semblante,
                Adrïano en elocuencia,
                Teodosio en humildad
330   y buen talante.
                Aurelio Alexandre fue
                en disciplina y rigor
                      de la guerra,
                un Constantino en la fe,
335   Camilo en el gran amor
                      de su tierra▼.

▼ Las estrofas XXVII y XXVIII fueron tildadas de pedantes por Menéndez Pelayo.
Hay que decir, sin embargo, que responden al culto a los grandes personajes de la
Antigüedad clásica, considerados como modelos de *humanidad;* y ello es algo
«renacentista». En todo caso, véase qué cualidades se enumeran: componen el *ideal de
hombre* de la época, según Manrique.

[**XXIX**]   No dejó grandes tesoros,
ni alcanzó grandes riquezas
    ni vajillas,
mas hizo guerra a los moros,   340
ganando sus fortalezas
    y sus villas;
    y en las lides que venció,
muchos moros y caballos
    se perdieron,   345
y en este oficio ganó
las rentas y los vasallos
    que le dieron.

[**XXX**]   Pues por su honra y estado,
en otros tiempos pasados   350
    ¿cómo se hubo[80]?
Quedando desamparado,
con hermanos y criados
    se sostuvo.
    Después que hechos famosos   355
hizo en esta dicha guerra
    que hacía,
hizo tratos tan honrosos,
que le dieron aún más tierra
    que tenía▼.   360

[80] ¿Cómo se portó? (Pregunta retórica.)

||||||||||||||||||||||||||||||||||||||||||||||||||||||||||||||||||||||||||||||||||||||||||||||||||||||||||||||||||||||||||||||||||||||||||||||

▼ ¿Qué se destaca ahora en la copla XXIX? ¿Qué contraste se observa entre los versos 337-339 y lo dicho antes en la estrofa XIX? (Sobre las alusiones a la guerra contra los moros, véase la nota a las coplas XXXVI y XXXVII.) En la estrofa XXX se alude a ciertas desgracias o reveses en la vida del Maestre (sus bienes le fueron confiscados en dos ocasiones): ¿cómo se comportó don Rodrigo en estos *reveses de la Fortuna*?

[XXXI]   Estas sus viejas historias,
que con su brazo pintó
en juventud,
con otras nuevas victorias
ahora las renovó   365
en senectud.
Por su gran habilidad,
por méritos y ancianía
bien gastada,
alcanzó la dignidad   370
de la gran caballería
de la Espada[81]▼.

[XXXII]   Y sus villas y sus tierras,
ocupadas de tiranos
las halló[82],   375
mas por cercos y por guerras
y por fuerza de sus manos
las cobró.
Pues nuestro rey natural
si de las obras que obró   380
fue servido,
dígalo el de Portugal[83],
y en Castilla quien siguió
su partido.

[81] La Orden de Santiago.

[82] En alguna ocasión se le confiscaron sus tierras.

[83] Alfonso V, enemigo de Isabel la Católica, pues estaba casado con Juana la Beltraneja.

▼ Resultará curioso, revelador, comparar esta copla con la IX: en ambas se habla de *juventud* y *senectud;* pero, si en aquélla se mostraba cómo en la vejez se pierde la lozanía y la fuerza, ahora las cosas son radicalmente distintas: se diría que el Maestre es un ser excepcional que ha vencido a la «Ley» que entonces se enunciaba.

385 **[XXXIII]**   Después de puesta la vida
                tantas veces por su ley
                    al tablero[84],
                después de tan bien servida
                la corona de su rey
390   verdadero,
                después de tanta hazaña
                a que no puede bastar
                    cuenta cierta▼,
                en la su villa de Ocaña
395   vino la Muerte a llamar
                    a su puerta,

. . . .
[84] Después de haberse jugado la vida tantas veces.

     [XXXIV]   diciendo: «Buen caballero,
                dejad el mundo engañoso
                    y su halago:
400   vuestro corazón de acero
                muestre su esfuerzo[85] famoso
                    en este trago;
                y pues de vida y salud
                hicisteis tan poca cuenta[86]
405   por la fama,
                esfuércese la virtud
                para sufrir esta afrenta
                    que os llama▼▼.

. . . .
[85] Valentía.

. . . .
[86] Os preocupasteis tan poco.

||||||||||||||||||||||||||||||||||||||||||||||||||||||||||||||||||||||||||||||||||||||||||||||||||||||||||||||||||||||||||||||||||||||||||||||

▼ Comienza con esta estrofa el segundo momento de esta última parte, un auténtico *ars moriendi* (arte de morir) de tradición medieval, como dijo Pedro Salinas. Señalaba además este autor la significativa repetición de *después de,* con que se refuerza la impresión de una vida «bien gastada», bien llena, de que ya se ha hecho cuanto había que hacer. La muerte llega, pues, «a su hora» (¡Qué distinta de aquella muerte «a deshora» de la estrofa XX!)

▼▼ Ante la copla XXXIV y las tres siguientes, un nuevo contraste se nos impone: ¿es ésta la muerte *cruda, airada,* que se *ensaña,* tal como se nos aparecía en las estrofas XXIII-XXIV? Al contrario, sus palabras al Maestre son corteses, afables; se diría que se disculpa (véase cómo se llama a sí misma) y que se esfuerza por dar ánimos. Es «una muerte amiga» (contra la citada tradición de las *Danzas*). A tal hombre, tal muerte.

[XXXV]
»No se os haga tan amarga
la batalla temerosa[87]   410
        que esperáis,
pues otra vida más larga
de fama tan glorïosa
        acá dejáis.
Aunque esta vida de honor   415
tampoco no es eternal
        ni verdadera,
mas con todo es muy mejor
que la otra temporal
        perecedera▼.   420

[XXXVI]
»El vivir, que es perdurable,
no se gana con estados
        mundanales,
ni con vida deleitable,
en que moran los pecados   425
        infernales;
        mas los buenos religiosos
gánanlo con oraciones
        y con lloros;
los caballeros famosos   430
con trabajos y aflicciones
        contra moros.

⁷ Temible.

▼ Aparece en esta copla la famosa teoría de *las tres vidas:* la terrenal, la de la fama y eterna. La exaltación de la Fama es propia del Renacimiento. Y Manrique ya la llora, pero advirtiendo que tampoco es la «verdadera» vida: la verdadera es *la eternal,* afirma Manrique aferrándose ahora a la tradición cristiana. Y la Muerte pasa a ser la puerta a esa «tercera vida». Culmina así, en estas estrofas, el «menosprecio del mundo» y la aceptación de la muerte.

[**XXXVII**] »Y, pues vos, claro varón,
               tanta sangre derramasteis
435   de paganos,
               esperad el galardón
               que en este mundo ganasteis
                       por las manos;
               y con esta confianza,
440   y con la fe tan entera
                       que tenéis,
               partid con buena esperanza,
               que estotra[88] vida tercera   [88] Esta otra.
               ganaréis▼.»

                    [*Responde a don Rodrigo*]

445 [**XXXVIII**] «No gastemos tiempo ya
               en esta vida mezquina
                       por tal modo[89],   [89] De tal modo.
               que mi voluntad está
               conforme con la divina
450   para todo;
               y consiento en mi morir
               con voluntad placentera
                       clara y pura,
               que querer hombre vivir
455   cuando Dios quiere que muera
                       es locura▼▼.

▼ En la tercera vida o «vivir perdurable» se centran ya las estrofas XXXV
XXXVII. Se nos dice ante todo cómo deben ganarse el cielo los *religiosos* y los *caballer*
(¿por qué no dirá nada del pueblo llano?) Reaparece el tema, ya visto en XXIX, de
lucha «contra moros». Y se afirma rotundamente que derramando «sangre d
paganos» se gana la vida eterna (Américo Castro vio aquí un contagio de la idea árab
de «guerra santa»). En fin, véase cómo las palabras de la muerte termina
intencionadamente con la idea cristiana de la «buena esperanza».

▼▼ Véanse a continuación las cuestiones que proponemos para un comentario de l
tres últimas coplas.

[Dirigiéndose a Cristo]

[XXXIX] »Tú, que por nuestra maldad
tomaste forma servil
            y bajo nombre,
Tú, que a tu divinidad   460
juntaste cosa tan vil
            como el hombre,
      Tú, que tan grandes tormentos
sufriste sin resistencia
            en tu persona,   465
no por mis merecimientos,
mas por tu sola clemencia
            me perdona[90].»

....
⁾ Perdóname.

[Final]

[XL]   Así, con tal entender
todos sentidos humanos   470
            conservados,
cercado de su mujer,
de sus hijos y hermanos
            y criados,
      dio el alma a quien se la dio,   475
el cual la ponga en el cielo
            en su gloria,
y aunque la vida murió,
nos dejó harto consuelo
            su memoria.   480

COMENTARIO 2 («Coplas», XXXVIII-XL)

➤ *Sitúa con precisión este pasaje en el conjunto de las* Coplas.

➤ *¿Qué elementos del contenido son destacables? (Piensa en la imagen que el auto quiere transmitirnos de su padre y de la muerte.)*

➤ *Analiza la métrica, explicando la aparente «irregularidad» en la medida de cierto versos.*

➤ *Estrofa XXXVIII: Actitud de don Rodrigo ante la muerte. Valora los adjetivos qu siguen a la palabra* voluntad *en los versos 452-53, así como la razón que se da en lo dos versos siguientes. Contrasta esta actitud con la que dominaba en la* Danza de l Muerte *(n.º* **14***).*

➤ *Estrofa XXXIX: ¿Qué aspectos te parecen destacables en la* oración del Maestre?

➤ *Estrofa XL: Observa cómo todos los elementos contribuyen a dar una impresión d serenidad, de intimidad, de armonía en esta escena de la muerte. En fin, ¿qué sentid tiene la elección de los dos últimos sustantivos?*

➤ *Conclusiones: ¿Tiene la muerte, en este final, los rasgos que presentaba en l primeras estrofas del poema? ¿Desde qué postura o con qué bases supera Manrique l angustia ante la muerte?*

FLORES VARIAS DEL SIGLO XV

DANZA DE LA MUERTE

Por toda la Europa medieval se extienden las «danzas macabras», género poético que revela una obsesión por la muerte (obsesión debida, en parte, a la terrible mortandad causada por la peste negra en el siglo XIV).

De fines del XIV o principios del XV es esta *Danza de la Muerte* que conservamos en España. Se trata de un largo poema (más de 600 versos) en que la Muerte llama a personajes de todas las capas sociales, quienes —con pocas excepciones— se resisten horrorizados a dejar esta vida. De paso, la obra da testimonios elocuentes de la corrupción y desconcierto de aquella época de crisis.

La *Danza* se sitúa en la pugna entre *vitalismo* (apego a la vida y horror a la muerte) y *ascetismo* (despego de lo mundano y aceptación de la muerte). Compárese, pues, con las *Coplas* de Jorge Manrique. Anticipemos un punto común, entre otros: la afirmación del «poder igualitario de la muerte». Pero el enfoque de la *Danza* es sumamente hosco, dramático, como se verá en los fragmentos escogidos (conciernen a tres personajes: un rey, un escudero y un sacerdote).

La obra está escrita en *octavas de arte mayor* (véase lo dicho a propósito de *Las Trescientas* de Mena). Advirtamos que en algunas octavas (19, 35 y 49) hemos suprimido el último verso, en el que la Muerte llama al personaje siguiente.

14

DICE LA MUERTE:

[8]   A la danza mortal venid los nacidos
que en el mundo sois, de cualquier estado[1];
el que no quisiere, a fuerza y amidos[2]
hacerle he venir muy toste parado[3].
5   Pues que ya el fraile os ha predicado
que todos vayáis a hacer penitencia,
el que no quisiere poner diligencia
por mí no puede ser más esperado [...]▼

[1] De cualquier situació social.

[2] De mala gana.

[3] Muy prestamente.

▼ Como se adivina por los versos 5-6, esta llamada de la Muerte va precedida po un sermón de un fraile sobre lo inevitable de la muerte y la necesidad de obrar bien (de arrepentirse) para ganar el cielo.

[*La Muerte llama a un Rey*]

DICE EL REY:

[18]   ¡Valía, valía, los mis caballeros!
Yo no quería ir a tan baja danza;   10
llegad vos con los ballesteros,
amparadme todos por fuerza de lanza.
Mas, ¿qué es aquesto que veo en la balanza,
acortarse mi vida y perder los sentidos?
El corazón se me queja con grandes gemidos;   15
¡adiós, mis vasallos, que muerte me tranza⁴!

⁴ Me parte, me destro-
za.

DICE LA MUERTE:

[19]   Rey fuerte, que siempre robasteis
todo vuestro reino y henchisteis el arca,
de hacer justicia muy poco curasteis⁵,
según es notorio por vuestra comarca.   20
Venid para mí, que yo soy monarca
que prenderé a vos y a otro más alto:
llegad a la danza cortés en un salto [...]▼.
[*La muerte llama a un escudero*]

⁵ Os preocupasteis.

‖‖‖

▼ Coméntese la reacción del rey y, sobre todo, la dureza con que se expresa la
Muerte. ¿Qué trasfondo social o moral podrían tener sus palabras?

DICE EL ESCUDERO:

[34]   Dueñas y doncellas, habed de mí duelo,
25   que hácenme por fuerza dejar los amores;
           echóme la muerte su sutil anzuelo,
           hácenme danzar danza de dolores.
           No traen, por cierto, firmalles[6] ni flores
           los que en ella danzan, mas gran fealdad.
30   ¡Ay de mí, cuitado[7], que en gran vanidad
           anduve en el mundo sirviendo señores!

[6] Joyas que servían e broches.

[7] Triste, desdichado.

DICE LA MUERTE:

⁸ Bello.

⁹ Se adorna.

⁰ Ánimo o consuelo.

[35]   Escudero pulido⁸, de amor sirviente,
         dejad los amores de toda persona;
         venid, ved mi danza y cómo se adona⁹,
         y a los que danzan acompañaredes;   35
         mirad su figura, tal os tornaredes
         que vuestras amadas no os querrán ver;
         habed buen conhorte¹⁰, que así ha de ser [...]▼

▼ ¿Cómo se manifiesta en las estrofas 34-35 el desengaño de la vida amorosa y cortesana?

[*La Muerte llama a un Cura*]

DICE EL CURA:

[48]   Non quiero excepciones nin conjugaciones[11],
40   con mis parroquianos quiero ir holgar[12],
        ellos me dan pollos y lechones
        y muchas obladas[13] con el pie de altar[14].
        locura sería mis diezmos dejar
        e ir a tu danza, de que no sé parte,
45   pero, a la fin, no sé por cuál arte[15]
        de esta tu danza pudiese escapar.

[11] Apartamiento ni estudios.

[12] Ir a divertirme.

[13] Ofrendas.

[14] Beneficios eclesiásticos.

[15] De qué modo.

DICE LA MUERTE:

[49]   Ya no es tiempo de yacer al sol
        con los parroquianos bebiendo del vino;
        yo os mostraré un re-mi-fa-sol
50   que agora compuse de canto muy fino:
        tal como a vos quiero haber por vecino,
        que muchas ánimas tuvisteis en gremio;
        según las registeis habredes el premio [...]▼.

‑‑‑

▼ ¿Qué aspectos de la vida del cura se nos descubren? Téngase en cuenta que la corrupción del clero sería denunciada, tanto desde posiciones anticlericales, como desde sectores religiosos más puros. Por lo demás, ¿se aprecia alguna nota de «humor negro» en estas estrofas o en las anteriores?

GÓMEZ MANRIQUE
(1412?-1490?)

Fue tío de Jorge Manrique y, en lo político y lo militar, siguió la línea que ya conocemos de su familia. Como poeta, cultivó los temas amorosos propios del momento, al lado de temas morales, con una orientación semejante a la de su sobrino Jorge. Escribió asimismo breves obras teatrales. Una de ellas, la *Representación del nacimiento de Nuestro Señor,* termina con la famosa canción que es obligado escoger: júzguese su ternura, su delicadeza y la gracia del ritmo.

15

CANCIÓN PARA CALLAR AL NIÑO

Callad, hijo mío chiquito

Callad vos, Señor,
nuestro Redentor,
que vuestro dolor
durará poquito.

5   Ángeles del cielo,
venid dar consuelo
a este mozuelo,
Jesús tan bonito.

10   Éste fue reparo[16],
aunque él costó caro,
de aquel pueblo amaro[17]
cautivo en Egipto.

Este santo digno,
15   niño tan benigno,
por redimir vino
el linaje aflicto.

Cantemos gozosas,
hermanas graciosas,
20   pues somos esposas
del Jesús bendito▼.

[16] Remedio (de los hombres).

[17] Amargo.

▼ La última estrofa se explicará cabalmente si sabemos que la obra se escribió para ser representada o cantada por las monjas de un convento al que pertenecía una hermana del autor.

FRAY ÍÑIGO DE MENDOZA
(1424?·1507?)

La lírica religiosa del siglo XV —de la que hemos visto alguna muestra— tiene en la época de los Reyes Católicos cultivadores muy interesantes, presididos en el tiempo por fray Íñigo de Mendoza. Era natural de Burgos, profesó como franciscano y llegó a ser predicador de la reina. Se le recuerda, sobre todo, por sus *Coplas de Vita Christi,* obra que canta los primeros días de Jesús (con numerosas digresiones morales y críticas sobre la época del autor). Aquí merece ser recordado por algunos pasajes que revelan su acercamiento a la lírica popular. Por eso escogemos este poemilla que, como se verá, responde al modelo de *zéjel.* Es además de destacar la intensidad emotiva con que se presenta el amor divino.

16

¿Eres niño y has amor:
qué harás cuando mayor?

Pues que en tu natividad
te quema la caridad,
5   en tu varonil edad
¿quién sufrirá su calor?
¿Eres niño y has amor:
qué harás cuando mayor?

Será tan vivo su fuego,
10   que con importuno ruego,
por salvar el mundo ciego,
te dará mortal dolor.
¿Eres niño y has amor:
qué harás cuando mayor?

15   Arderá tanto tu gana,
que por la natura humana
querrás pagar su manzana[18]
con muerte de malhechor.
¿Eres niño y has amor:
20   *que harás cuando mayor?*

¡Oh amor digno de espanto!
pues que en este niño santo
has de pregonarte tanto,
cantemos a su loor:
25   *¿Eres niño y has amor:*
qué harás cuando mayor?

[18] Redimir del pecado original.

FRAY AMBROSIO MONTESINO
(† 1513)

Nació en Huete (Cuenca) y fue monje franciscano como fray Íñigo de Mendoza, con quien comparte asimismo el fervor por la lírica popular. Pero fray Ambrosio es notablemente más auténtico, más dotado para la ternura, la emoción, la frescura y la belleza de las canciones tradicionales. El poema que reproducimos —y en el que se reconocerá asimismo el esquema del *zéjel*— es lo que se llama un *villancico a lo divino:* en su origen era un cantarcillo popular de tema amoroso, cuyo estribillo comenzaba así: «A la puerta está Pelayo / y llora...».

17

COPLAS AL DESTIERRO
DE NUESTRA SEÑORA PARA EGIPTO

Desterrado parte el Niño,
y llora,
díjole su Madre así,
y llora,
callad, mi Señor, agora.

Oíd llantos de amargura,
pobreza, temor, tristura,
aguas, vientos, noche oscura,
con que va nuestra Señora,
y llora;
callad, mi Señor, agora.

El destierro que sufrís
es la llave con que abrís
al mundo que redimís,
la ciudad en que Dios mora
y llora;
callad, mi Señor, agora.

No puede quedar en esto;
moriréis, y no tan presto;
mas la cruz do serás puesto
me traspasa desde agora,
y llora;
callad, mi Señor, agora [...]

GARCI SÁNCHEZ DE BADAJOZ

Sabemos poco de este poeta. Parece que nació en Écija
(Sevilla) hacia 1460. Ignoramos también la fecha de su
muerte, pero se dice que murió loco a consecuencia de un
amor imposible. Esto, y sus versos, le dieron larga fama.
Realmente, destaca como poeta amoroso: por lo señalado
antes, no extrañará que los tópicos del amor cortés sobre
el dolor de amar cobren en sus versos acentos muy
profundos. Júzguese por el poema que ofrecemos, aunque
sólo sea «un botón de muestra».

18

VILLANCICO

Secáronme los pesares
los ojos y el corazón,
que no pueden llorar, non.

    Los pesares me secaron
5   el corazón y los ojos,
y a mis lágrimas y enojos,
y a mi salud acabaron:
muerto en vida me dejaron,
traspasado de pasión,
10   *que no puedo llorar, non.*

    Y de estar mortificado
mi corazón de pesar,
ya no está para llorar,
sino para ser llorado:
15   esta es la causa, cuitado[19],
esta es la triste ocasión,
que no puedo llorar, non.

    Al principio de mi mal
lloraba mi perdimiento,
20   mas agora ya estoy tal,
que de muerto no lo siento;
para tener sentimiento
tanta tengo de razón,
que no puedo llorar, non.

---

[19] Desdichado.

COMENDADOR ESCRIVÁ

Era valenciano. Fernando el Católico le asignó cargos importantes, como el de embajador en la Santa Sede (1497). Poeta sutil en castellano y en catalán, se hizo famosísimo en los siglos posteriores por la *Canción* que vamos a leer▼.

▼ Cervantes, por ejemplo, recogió el estribillo con esta versión: *Ven, muerte, tan escondida / que no te sienta venir, / porque el gozo de morir / no me vuelva a dar la vida.* (Véase además la nota al poema **12,** de Jorge Manrique).

19

CANCIÓN

Ven, muerte, tan escondida,
que no te sienta conmigo,
porque el gozo de contigo[20]
no me torne a dar la vida.

5   Ven como rayo que hiere,
que hasta que ha herido
no se siente su ruïdo,
por mejor herir do quiere:
así sea tu venida,
10 si no, desde aquí me obligo
que el gozo que habré contigo
me dará de nuevo vida.

[20] De estar contigo.

JUAN DEL ENCINA
(1468-1529 ó 30)

Salmantino, de familia humilde, comenzó como niño de coro, estudió en la Universidad, pasó al servicio de los Duques de Alba y destacó por sus cualidades intelecuales y literarias. Vivió en Roma y estuvo en Jerusalén, donde cantó misa. Por su vida, a caballo entre los siglos XV y XVI, y por diversos rasgos de su obra, Juan del Encina es un claro exponente de la encrucijada entre lo medieval y lo renacentista. Su obra dramática es de enorme importancia: se le ha llamado «patriarca del teatro español». Pero es, a la vez, un delicioso poeta lírico (y músico: de muchas de sus composiciones conservamos, tanto la letra, como la melodía, que pueden disfrutarse hoy en excelentes grabaciones). Veamos dos poemas suyos, muy distintos por el tema.

20

VILLANCICO

No te tardes, que me muero,
carcelero,
no te tardes, que me muero.

    Apresura tu venida
porque no pierda la vida,
que la fe no está perdida,
carcelero,
no te tardes, que me muero.

    Bien sabes que la tardanza
trae gran desconfianza
ven y cumple mi esperanza,
carcelero,
no te tardes, que me muero.

    Sácame de esta cadena,
que recibo muy gran pena
pues tu tardar me condena,
carcelero,
no te tardes, que me muero.

    La primer vez que me viste,
sin te vencer[21] me venciste,
suéltame, pues me prendiste,
carcelero,
no te tardes, que me muero.

    La llave para soltarme
ha de ser galardonarme
proponiendo no olvidarme,
carcelero,
no te tardes, que me muero.

----
[21] Sin vencerte.

Fin

Y siempre, cuanto vivieres,
haré lo que tú quisieres,   30
si merced hacer me quieres[22],
carcelero,
no te tardes, que me muero▼.

[22] Si me quieres hacer merced (= si me haces el favor).

▼ Las *carceleras* eran un género de coplas que incorporaron significaciones amorosas o de otro tipo (véase el parentesco con el poema **12,** de Jorge Manrique). En cuanto a la métrica, su forma nos es bien conocida: ¿de qué se trata?

21

VILLANCICO

Hoy comamos y bebamos
y cantemos y holguemos,
5   *que mañana ayunaremos.*

Por honra de Santantruejo[23]
parémonos[24] hoy bien anchos,
embutamos estos panchos,
recalquemos[25] el pellejo.
10   Que costumbre es de concejo[26]
que todos hoy nos hartemos,
que mañana ayunaremos.

Honremos a tan buen santo
porque en hambre nos acorra[27];
15   comamos a calcaporra[28],
que mañana hay gran quebranto.
Comamos, bebamos tanto
hasta que nos reventemos,
que mañana ayunaremos.

20   «Bebe, Bras.» «Más tú, Beneito.»
«Beba Pedruelo y Lloriente.»
«Bebe tú primeramente;
quitarnos has de ese pleito[29].»
«En beber bien me deleito.»
«Daca[30], daca, beberemos,
que mañana ayunaremos. »

25   *Fin*

Tomemos hoy gasajado[30bis],
que mañana vien[31] la muerte;
bebamos, comamos fuerte,

---

[23] Expresión humorística, pues *antruejo* es nombre común (cfr. *infra*).

[24] Pongámonos.

[25] Llenar bien, atiborrar.

[26] Costumbre común, general.

[27] Nos socorra en tiempos de hambre.

[28] A más no poder.

[29] Disputa.

[30] «Da acá», «trae acá la bota».

[30bis] Placer, alegría.

[31] Viene.

vámonos cara al ganado;
no perderemos bocado,
que comiendo nos iremos,   30
y mañana ayunaremos▼.

▼ Esta canción pertenece a una de las obras teatrales profanas del autor, la primera *Égloga de Antruejo*. La palabra *antruejo* (de *introitum*) designaba la noche de Carnaval, en vísperas de la Cuaresma. Véase cómo, en contraste con las actitudes ascéticas, se invita aquí a gozar del momento: es la postura vitalista que el Renacimiento expresará a menudo resucitando el clásico *Carpe diem:* («Agarra el instante»).

GIL VICENTE (1465?-1536?)

Como Juan del Encina, el dramaturgo Gil Vicente está a caballo de los dos siglos. Pocos datos tenemos sobre él: era portugués, acaso estudió en Salamanca, vivió en ambientes cortesanos... Escribió, en portugués y en castellano, autos religiosos, farsas y tragicomedias. Su presencia en esta antología es inexcusable porque los elementos líricos son, sin duda, lo más atractivo de su teatro: sus obras, en efecto, están esmaltadas de escenas cantadas deliciosas. En ellas descubre Gil Vicente una finísima sensibilidad para la poesía de tipo tradicional (sólo un Lope de Vega lo superará en esta faceta). Véanse las dos muestras que siguen; ambas pertenecen al *Auto de la Síbila Casandra,* en el que la protagonista se niega a casarse por creer que es ella la virgen que, según las profecías, ha de concebir a Cristo. Obsérvese la frescura y la delicadeza de estos versos, cualidades por las que Gil Vicente fue uno de los poetas favoritos de autores como Dámaso Alonso, García Lorca, Rafael Alberti, Gerardo Diego...

22

Dicen que me case yo:
no quiero marido, no.

    Más quiero vivir segura
n'esta[32] tierra a mi soltura[33],
que no estar en aventura[34]
si casaré bien o no.
Dicen que me case yo:
no quiero marido, no.

    Madre, no seré casada
por no ver vida cansada,
o quizá mal empleada
la gracia que Dios me dió.
Dicen que me case yo:
no quiero marido, no.

    No será ni es nacido
tal para ser mi marido;
y pues que tengo sabido
que la flor yo me la só[35].
Dicen que me case yo:
no quiero marido, no▼.

[32] En esta.

[33] Libertad.

[34] Incertidumbre o riesgo.

[35] Soy.

▼ Se ha destacado en este cantarcillo la ufanía y el anhelo de independencia de la mujer. La forma métrica ya nos es conocida: dígase cuál es y muéstrense otros ejemplos en estas páginas.

23

Muy graciosa es la doncella,
¡cómo es bella y hermosa!

Digas tú, el marinero
que en las naves vivías,
si la nave o la vela o la estrella   5
es tan bella.

Digas tú, el caballero
que las armas vestías,
si el caballo o las armas o la guerra
es tan bella.   10

Digas tú, el pastorcico
que el ganadico guardas,
si el ganado o los valles o la sierra
es tan bella▼.

▼ Estos versos deliciosos son cantados por todos los personajes al final del citado *uto.* Si se miden los versos, se observará la *métrica irregular,* propia de la poesía opular cantada.

SIGLO XVI

GARCILASO DE LA VEGA

Vida y personalidad

Garcilaso encarna como nadie el ideal renacentista del hombre completo: guerrero, cortesano, músico, poeta... De ilustre familia, nació en Toledo entre 1501 y 1503. Como cortesano y soldado lo vemos ya al lado de Carlos V en la lucha contra los comuneros y otras campañas.

En 1525 el emperador lo casa, sin amor, con doña Elena de Zúñiga; pero, un año después, Garcilaso se enamora de Isabel Freyre, inspiradora de buena parte de sus versos. Fue, sin embargo, un amor no correspondido: ella se casó en 1529 con otro. Y murió pocos años después (¿en 1533?).

Entretanto, Garcilaso ha viajado por Europa, pero también ha padecido un destierro (en 1532) por haber desobedecido a Carlos V. De 1532 a 1534, reside en Nápoles. Es una etapa fundamental: allí trató a importantes autores renacentistas y profundizó en el conocimiento de los clásicos.

Siguen nuevas empresas guerreras. En 1535, en Túnez, contra los turcos. Y en 1536, en Provenza, contra los franceses. Allí, asaltando la fortaleza de Muy, es herido gravemente; morirá unos días después en Niza.

Obra y evolución

Breve fue la vida de Garcilaso y breve es la obra poética que de él nos ha llegado. Aparte algunos poemas en latín, conservamos:

— En metros castellanos, ocho breves *canciones*.
— En metros italianos, una *epístola,* dos *elegías,* tres *églogas,* cinco *canciones* y treinta y ocho *sonetos.*

Su evolución —magistralmente estudiada por Rafael Lapesa— muestra cómo se va enriqueciendo y acrisolando una excepcional sensibilidad poética. Resumimos:

a) En sus comienzos, Garcilaso se sitúa en la línea que viene de los *Cancioneros* del XV, sin aportar nada destacable: véanse las dos canciones que recogemos (núms. **24** y **25**).

b) A partir de 1526, con el cultivo de los metros italianos y la progresiva asimilación del petrarquismo, avanza hacia *una nueva poesía.* No obstante, al principio, con las nuevas formas conviven rasgos de la lírica anterior (véase el soneto I, n.º **26**), así como cierta aspereza de ritmo y de tono. Todavía Garcilaso *persigue más la intensidad emotiva que la armonía o la perfeccion.*

c) Más adelante, en especial desde su estancia en Nápoles (1532-34), su arte se irá acendrando, gracias a nuevos elementos que se conjugan con la influencia de Petrarca. Se trata, sobre todo, de sus lecturas de Virgilio y de Sannazaro*. Ambos fueron para él modelos de una expresión melancólica unida a una fina visión de la naturaleza, todo presidido por la búsqueda de la perfección estética. Y así, en esta etapa, dominadas ya las nuevas formas, Garcilaso logra *un inigualable equilibrio entre emoción y perfección.* Así se verá en algunos sonetos (como el X, n.º **28**); pero la cima es la *Égloga I* (**31**), en la que un auténtico dolor se envasa, como veremos, en versos perfectos.

d) En su última etapa, *la búsqueda de la belleza pura predomina sobre la expresión de lo emocional.* Se diría que Garcilaso «ha aprendido a refugiarse en el arte» (Lapesa), que refrena sus sentimientos y los expresa con una serenidad, una armonía, una transparencia insuperables. Hay además una luminosidad y una plasticidad que traslucen una valoración positiva del mundo y nuevos anhelos de goce vital. Aparte sonetos como el XIII y el XXIII (**29** y **30**), este «remanso final» culmina con la *Égloga III* (**32**).

En suma, estamos ante una trayectoria ejemplar que va desde una línea enraizada en el conflictivo siglo XV hasta la más pura cristalización del equilibrio renacentista, «clásico».

---

* Virgilio, máximo poeta latino, escribió —aparte *La Eneida,* etc.— *Las Bucólicas,* hermosísimos poemas pastoriles. Por su parte, el napolitano Jacobo Sannazaro creó el modelo renacentista de la novela pastoril con su *Arcadia* (1504), escrita en prosa y en verso.

Mundo poético y sensibilidad

La poesía de Garcilaso presenta una voluntaria limitación:
el amor es su tema casi exclusivo. Su enfoque entronca,
como es sabido, con aquella concepción que, desde el
amor cortés, llega a Petrarca, pero con modulaciones par-
ticulares.

Como se apreciará con sólo leer la *Égloga I*, el amor sería,
por encima de todo, la gran fuerza capaz de dar sentido a
la vida, al mundo. Pero, a menudo, es algo inalcanzable o
frágil. Y la felicidad, por tanto, o es imposible o es
pasajera, porque está sujeta a la «mudanza» de los
sentimientos o de las circunstancias. Entonces, el desamor
hará que todo pierda sentido, sumiendo al enamorado en
la soledad, en el «dolorido sentir»...

Pero, aunque estas y otras ideas puedan encontrarse en
Petrarca, no son en Garcilaso puros «tópicos», sino algo
vivido. Gracias a las coincidencias entre las peripecias
sentimentales del italiano y del español (desvío y muerte
de Laura o de Isabel), Petrarca sería un modelo para que
Garcilaso expresara su mundo interior, su sentir auténtico. Por lo demás, nuestro poeta es menos lacrimoso, más
sobrio que Petrarca; su intimidad nos llega de forma más
pudorosa y más honda.

Junto al amor, *la Naturaleza* ocupa un lugar decisivo en
este mundo poético. Ante todo, la naturaleza es espejo del
amor y del sentir: la plenitud amorosa se contagia al
mundo en torno (remitimos otra vez a la *Égloga I*); y,
perdido el amor, el paisaje se empaña de tristeza (otras
veces, su belleza servirá de contraste con el dolor del
poeta).

Pero, en último término, lo que domina es la armonía, la
transparencia del paisaje. Estamos ante una visión estiliza-
da, ideal, «clásica», de la naturaleza. Ya hemos señalado lo
que esta visión debe a un Virgilio o un Sannazaro; pero,

una vez más, Garcilaso se sirve de las influencias como de un cauce para su personal sensibilidad.

Tanto en la expresión del amor, como de la naturaleza, Garcilaso sabe encontrar —a través de lecturas e influencias— su «voz propia». Y lo que prevalece, al leerlo, es *un acento íntimo, un temblor humano, inconfudible,* cuyo último secreto habrá que buscar en su lengua poética.

Lengua poética. Métrica

El ideal renacentista que apuntaba, a la vez, a la *naturalidad* y a la *elegancia* encuentra su máxima encarnación en el estilo de Garcilaso. Propugnó «huir de la afectación» y, a la vez, de la «sequedad». Una vez más hay que hablar de *equilibrio;* equilibrio entre pasión y contención, o entre lengua culta y lengua familiar, etc.

De ahí su *labor de selección.* Rechaza audacias léxicas o retóricas en aras de la autenticidad. Es indudable que trabaja primorosamente sus versos, pero sin que el lector advierta esfuerzo o artificio. Y, además, ese ideal de selección no supone alejarse de lo llano, de lo familiar. Con una portentosa intuición lingüística, Garcilaso selecciona también —por sus valores expresivos— palabras y locuciones que «saben a campo» (como dijo Herrera). Y, a menudo, ciertas *expresiones coloquiales* introducen en el poema intensos «desgarrones afectivos» (que señalaremos en nuestras notas al texto). De igual modo, junto a *imágenes* tradicionales, veremos otras de índole directa y elemental, de gran frescura expresiva.

Si algunos de los rasgos citados tienen que ver con la intensidad afectiva, otros revelarán la tendencia a la visión armónica y la perfección artística: así, el gusto por paralelismos y simetrías, o el tino y elegancia de la adjetivación... A propósito de esto último, son memorables esos *epítetos* que nos presentan a la naturaleza en su máxima perfección, como en el ideal arquetípico (véanse, por ejemplo, las estrofas 8 y 18 de la *Égloga I*).

La impresión dominante que nos deja la lengua poética de Garcilaso es la de una elegancia sencilla y sosegada —salvo esos desgarrones...—, de un fluir armonioso...

A la **métrica** se debe, sin duda, buena parte de esa impresión. Sabemos las dificultades que presentaba la aclimatación de los metros italianos. Por eso asombra la perfecta asimilación del nuevo ritmo por Garcilaso. Y no se trata sólo de que dominara técnicamente esas formas, sino que, además, supo ponerlas al servicio de diversas y nuevas modulaciones del sentimiento.

El endecasílabo será, en él, ora nervioso, ora lento y suave; los versos cortos nos ofrecerán, a veces, intensos latigazos; otras veces, sus pausas remansarán el ritmo. En los sonetos, la materia y la emoción se repartirán sabiamente entre cuartetos y tercetos; a menudo, el terceto final condensa, a modo de conclusión, pensamiento y sentimiento...

Y todo ello —hay que repetirlo— con tanta *naturalidad* como *perfección*. La armonía, la fluidez de la versificación garcilasiana es proverbial. Otros poetas áureos podrán aventajarle en algún aspecto, pero nadie le superaría en la musicalidad del verso.

Significación

La figura y la obra de Garcilaso son el mejor símbolo de su tiempo: una época de esplendor e ilusiones, y el momento en que el Renacimiento se da entre nosotros con su máximo equilibrio. Pero hay que insistir, ante todo, en la *nueva voz* que traía Garcilaso y en la rapidez con que esa voz se convirtió en modelo. Ya poco después de su muerte, sus poemas fueron estudiados y comentados como los de un clásico. Su lenguaje poético sería el punto de partida de todos los poetas del Siglo de Oro. Y en épocas posteriores sigue ocupando un lugar eminente entre los grandes modelos. En nuestro siglo los poetas del 27 lo veneran; en la generación siguiente, la del 36, hay un grupo de poetas llamados «garcilasistas». Pocos poetas han sido, a la vez, tan innovadores en su tiempo y tan admirados en todos los tiempos.

24

COPLA II

CANCIÓN, HABIÉNDOSE CASADO SU DAMA

....
Según lo que hacéis
ontra mí.

....
No sabrán juzgaros
en, igual que me habéis
zgado mal.

....
Que haya sido perdido
culpado.

....
Para alegrarme de que
aguéis...

Culpa debe ser querernos
según lo que en mí hacéis[1],
mas allá lo pagaréis
do no sabrán conoceros,
por mal que me conocéis[2].   5

Por quereros, ser perdido
pensaba, que no culpado;
mas que todo lo haya sido[3],
así me lo habéis mostrado
que lo tengo bien sabido.   10
¡Quién pudiese no quereros
tanto como vos sabéis,
por holgarme que paguéis[4]
lo que no han de conoceros
con lo que no conocéis▼!   15

▼ Imagínese qué acontecimiento real podría haber inspirado esta canción. Por lo emás, en este poemita y en el siguiente se observarán rasgos de contenido, lenguaje métrica afines a los que hemos visto en poetas del siglo XV: enumera algunos de tales sgos.

25

COPLA VIII

Nadie puede ser dichoso,
señora, ni desdichado,
sino que[5] os haya mirado.

[5] A no ser que.

Porque la gloria de veros
en ese punto se quita
que se piensa mereceros;
así que sin conoceros,
nadie puede ser dichoso,
señora, ni desdichado,
sino que os haya mirado.

26

SONETO I

Cuando me paro a contemplar mi estado
y a ver los pasos por do me ha traído,
hallo, según por do anduve perdido,
que a mayor mal pudiera haber llegado;

mas cuando del camino estó⁶ olvidado,　　5
a tanto mal no sé por dó he venido;
sé que me acabo, y más he yo sentido
ver acabar comigo mi cuidado⁷.

Yo acabaré, que me entregué sin arte⁸
a quien sabrá perderme y acabarme⁹　　10
si quisiere, y aún sabrá querello¹⁰;

que pues mi voluntad puede matarme,
la suya, que no es tanto de mi parte¹¹,
pudiendo, ¿qué hará sino hacello▼?

Estoy.

Mi amor.

Sin cálculo, sinceramente.

Matarme.

⁹ Y es seguro que lo querrá.

¹¹ Que aún está menos a mi favor.

||||||||||||||||||||||||||||||||||||||||||||||||||||||||||||||||||||||||||||||||||||||||||||||||||||||||||||||||||||||||||||||||

▼ Estamos, sin duda, ante uno de sus primeros sonetos (aunque la numeración con que se publicaron no responde a un orden cronológico). Destáquense dos rasgos: a) La expresión dramática del sufrimiento amoroso, en los cuartetos sobre todo; b) La persistencia del gusto por jugar con palabras y conceptos, a la manera del siglo xv, en los tercetos. (Señalemos que el primer verso se hizo famosísimo: muchos poetas posteriores lo tomaron o imitaron.)

27

SONETO V

Escrito está en mi alma vuestro gesto[12]
y cuanto yo escribir de vos deseo:
vos sola lo escribistes[13]; yo lo leo
tan solo, que aun de vos me guardo en esto[14].

5   En esto estoy y estaré siempre puesto,
que aunque no cabe en mí cuanto en vos veo,
de tanto bien lo que no entiendo creo[15],
tomando ya la fe por presupuesto.

Yo no nací sino para quereros;
10 mi alma os ha cortado a su medida;
por hábito del alma misma os quiero;

cuanto tengo confieso yo deberos;
por vos nací, por vos tengo la vida,
por vos he de morir, y por vos muero▼.

[12] Rostro, expresión.

[13] Escribisteis.

[14] Tan solitario, pues, e[n] esto, me oculto hasta d[e] vos.

[15] No cabe en el entend[i]miento humano tanta b[e]lleza y ha de acudir a [la] fe.

––

▼ Seguramente es también uno de sus primeros sonetos. En los versos 2-3, apare[ce]
la idea que, en la *Égloga III,* se condensará en el verso «la voz a ti debida» (expresi[ón]
que tomaría Pedro Salinas para título de una de sus obras). Nótese en todo el soneto [la]
hiperbólica exaltación de la amada y del amor que culmina en el terceto final: la id[ea]
de que sólo el amor da sentido a su vida se plasma en ese bellísimo paralelismo.

28

SONETO X

....
[6] Objetos que le dio su
amada como recuerdo.

....
[7] Me veía.
....
[8] Me habíais.
....
[9] Contempladas de nue-
o.
....
[0] En un mismo momen-
) me quitasteis. (Obsér-
ese en las rimas de los
ercetos la forma antigua
e las segundas personas
el plural: hoy, *disteis,
esjasteis,* etc.).
....
Poco a poco.
....
Quitadme a la vez.

¡Oh dulces prendas[16] por mi mal halladas,
dulces y alegres cuando Dios quería,
juntas estáis en la memoria mía
y con ella en mi muerte conjuradas!

¿Quién me dijera, cuando las pasadas   5
horas que en tanto por vos me vía[17],
que me habiades[18] de ser en algún día
con tan grave dolor representadas[19]?

Pues en una hora junto me llevastes[20]
todo el bien que por términos[21] me distes,   10
llevadme junto[22] el mal que me dejastes;

si no, sospecharé que me pusistes
en tantos bienes porque deseastes
verme morir entre memorias tristes▼.

||||||||||||||||||||||||||||||||||||||||||||||||||||||||||||||||||||||||||||||||||||||||||||||||||||||||||||||||||||||

▼ Soneto de madurez —como los dos que luego se leerán—. Tradicionalmente se
onsidera inspirado por la muerte de su amada. Expresa, en cualquier caso, «la
ontraposición entre la felicidad perdida y el dolor presente» (Lapesa). Compárese,
or tal tema, con la Egloga I.

29

SONETO XIII

A Dafne ya los brazos le crecían
y en luengos ramos vueltos se mostraban[23],
en verdes hojas vi que se tornaban
los cabellos que el oro oscurecían;

5   de áspera corteza se cubrían
los tiernos miembros que aun bullendo estaban;
los blandos pies en tierra se hincaban
y en torcidas raíces se volvían.

Aquel que fue la causa de tal daño[24],
10   a fuerza de llorar, crecer hacía
este árbol, que con lágrimas regaba.

¡Oh miserable estado, oh mal tamaño,
que con llorarla crezca cada día
la causa y la razón por que lloraba▼!

[23] Y aparecían convert
dos en largas ramas.

[24] Se refiere a Apolo.

▼ El tema tan garcilasiano del amor frustrado se expresa aquí con el ropaje ta
renacentista de un hermoso mito clásico: la ninfa Dafne escapa a la persecución d
Apolo transformándose en árbol (un laurel). Lo doloroso del tema se reviste, pues, d
serena belleza, se hace poesía pura. Según Lapesa, «el arte de Garcilaso nunca s
muestra más poderosamente plástico que en el soneto XIII»: justifíquese tal juic
(más adelante se podrá comparar este poema con un pasaje de la Egloga III).
    — Aclaremos el sentido del terceto final: Apolo, con sus lágrimas, hacía crecer
árbol en que Dafne se había convertido.

30

SONETO XXIII

En tanto que de rosa y azucena
se muestra la color en vuestro gesto[25],
y que vuestro mirar ardiente, honesto,
enciende el corazón y lo refrena,

y en tanto que el cabello, que en la vena[26]   5
del oro se escogió, con vuelo presto
por el hermoso cuello blanco, enhiesto,
el viento mueve, esparce y desordena:

coged de vuestra alegre primavera
el dulce fruto antes que el tiempo airado   10
cubra de nieve la hermosa cumbre[27].

Marchitará la rosa el tiempo helado,
todo lo mudará la edad ligera[28]
por no hacer mudanza en su costumbre▼.

[left margin notes:]

[25] Rostro.

[26] Filón.

[27] La cabeza.

[28] El tiempo fugaz.

▼ Soneto memorable por su belleza y por lo representativo de su enfoque. Proponemos a continuación un comentario detallado. Pero convendrá anticipar unos datos y unas ideas. En los poetas del siglo XV —muy especialmente en Manrique— hemos visto la desazón ante la fugacidad de la vida y el poder destructor del tiempo. Y hemos visto cuál era la *actitud ascética* ante ello. Ahora estamos, en cambio, ante la *actitud vitalista* propia del Renacimiento pleno (véase ya en el texto **21** de Encina). Y son los clásicos latinos los que ofrecerán los modelos literarios de tal actitud. Ante todo, Horacio (siglo I a. de C.), con su famoso *Carpe diem* («Agarra el día», esto es, «aprovecha el instante»). Más tarde, un poema atribuido a Ausonio (siglo IV) trataría el mismo tema con palabras destinadas a ser muy repetidas: *Collige, virgo, rosas...* («Corta, muchacha, las rosas, en tanto está fresca la flor y fresca tu juventud / y recuerda que con igual rapidez pasa tu vida»). Ya en el Renacimiento, estos poemas hallarían un amplio eco en poetas italianos, franceses, españoles...

COMENTARIO 3 (Soneto XXIII)

▶ *Sitúa el soneto dentro de la obra de Garcilaso y del espíritu renacentista.*

▶ *Enuncia con claridad el tema del texto (tres elementos habrás de tener en cuenta: la belleza, el tiempo, el goce de la vida). En un pasaje de las* Coplas *de* Manrique *(¿cuál?) aparecen los mismos temas: ¿cuál es la diferencia de enfoque entre Manrique y Garcilaso? ¿Conoces otros tratamientos del tema?*

▶ *Relaciona la estructura métrica y el desarrollo interno. Fíjate en la sintaxis: ¿cuál es la oración principal de los 11 primeros versos?; ¿de qué clase son las subordinadas que la preceden y la siguen? ¿Tiene ello que ver con el tema?*

▶ *En los cuartetos, ¿cómo se exalta la belleza de la mujer?*

▶ *Comenta el efecto de equilibrio, tanto por su construcción, como por su sentido, que producen los versos 3 y 4.*

▶ *Compara la frase encabalgada en los versos 9-10 con los versos de Ausonio que hemos citado en la nota: ¿qué añade o varía Garcilaso?*

▶ *Señala las imágenes con que se habla del poder del tiempo y de la caducidad de la belleza.*

▶ *¿Qué idea remata el soneto? Observa el juego «conceptista» de esos dos últimos versos.*

▶ *Conclusiones: síntesis y valoración del poema, sin olvidar lo que tiene de representativo de la época.*

31

ÉGLOGA I

[Fragmentos]

[1]   El dulce lamentar de dos pastores,
        Salicio juntamente y Nemoroso,
        he de cantar, sus quejas imitando;
        cuyas ovejas al cantar sabroso
        estaban muy atentas, los amores,   5
        de pacer olvidadas, escuchando [...]▼.

                        SALICIO

[5]   ¡Oh más dura que mármol a mis quejas
        y al encendido fuego en que me quemo
        más helada que nieve, Galatea!
        Estoy muriendo, y aún la vida temo;   10
        témola con razón, pues tú me dejas,
        que no hay sin ti el vivir para qué sea²⁹.
        Vergüenza he que me vea
        ninguno en tal estado,
        de ti desamparado,   15
        y de mí mismo yo me corro³⁰ ahora.
        ¿De un alma te desdeñas ser señora
        donde siempre moraste, no pudiendo
        de ella salir una hora?
        Salid sin duelo³¹, lágrimas, corriendo▼▼.   20

²⁹ Sin ti, la vida no tiene
sentido.

³⁰ Me avergüenzo.

³¹ Sin reparo, sin medi-
da.

||||||||||||||||||||||||||||||||||||||||||||||||||||||:||||||||||||||||||||||||||||||||||||||||||||||||||||||||||||||||||||||

▼ Comienza la *Égloga I* con cuatro estancias de dedicatoria e introducción, de las
que reproducimos sólo los seis primeros versos. En ellos se nos presenta a esos dos
pastores en que se desdobla Garcilaso: con *Salicio,* el poeta rememorará el desdén de
Isabel Freyre; con *Nemoroso,* llorará la muerte de su amada. Así, el poema será la
síntesis de su gran amor frustrado.

▼▼ En medio de los reproches que dirige a la amada desdeñosa, Salicio proclama, en
versos muy intensos, lo que el amor (o su falta) significan en la vida. Coméntese.

[6]   El sol tiende los rayos de su lumbre
        por montes y por valles, despertando
        las aves y animales y la gente:
        cual[32] por el aire claro va volando,   32 *Cual..., cual...* equivale
25   cual por el verde valle o alta cumbre   a «unos..., otros...».
        paciendo va segura y libremente,
        cual con el sol presente
        va de nuevo al oficio
        y al usado ejercicio
30   do su natura o menester le inclina;
        siempre está en llanto esta ánima mezquina[33],   33 Desdichada.
        cuando la sombra el mundo va cubriendo,
        o la luz se avecina.
        Salid sin duelo, lágrimas, corriendo [...]▼.

‖‖

▼ Se destacará en esta estrofa un fuerte contraste. Los diez primeros versos
componen una visión ideal del mundo: es un cuadro luminoso, armónico, *idílico*. Los
cuatro versos restantes recogen el dolor de Salicio. (Nótese, de paso, la sonoridad
«oscura» —tan oportuna— del verso «cuando la sombra el mundo va cubrien-
do».)

[8]   Por ti el silencio de la selva umbrosa,   35
por ti la esquividad y apartamiento
del solitario monte me agradaba;
por ti la verde hierba, el fresco viento,
el blanco lirio y colorada rosa
y dulce primavera deseaba.   40
¡Ay, cuánto me engañaba!
¡Ay cuán diferente era
y cuán de otra manera
lo que en tu falso pecho se escondía!
Bien claro con su voz me lo decía   45
la siniestra corneja[34], repitiendo
la desventura mía.
Salid sin duelo, lágrimas, corriendo [...]▼.

[34] La corneja que salía volando por la izquierda era considerada de mal agüero.

▼ Ofrece esta estancia otro poderoso contraste entre plenitud y desengaño, entre amor y desamor. En los seis primeros versos, como dice Lapesa, «Salicio atribuye al amor haberle descubierto el sentido de la belleza universal». Véase, entre otras cosas, cómo los *epítetos* presentan las realidades en su máximo esplendor. Luego, se señalará la fuerza con que las exclamaciones expresan el desengaño.

[10]   Tu dulce habla ¿en cúya oreja[35] suena?   [35] ¿En los oídos de
50   Tus claros ojos ¿a quién los volviste?   quien...?
            ¿Por quién tan sin respeto me trocaste?
            Tu quebrantada fe ¿dó la pusiste?
            ¿Cuál es el cuello que, como en cadena,
            de tus hermosos brazos anudaste?
55   No hay corazón que baste,
            aunque fuese de piedra,
            viendo mi amada hiedra,
            de mí arrancada, en otro muro asida,
            y mi parra en otro olmo entretejida,
60   que no se esté con llanto deshaciendo
            hasta acabar la vida.
            Salid sin duelo, lágrimas, corriendo [...]▼.

|||||||||||||||||||||||||||||||||||||||||||||||||||||||||||||||||||||||||||||||||||||||||||||||||||||||||||||||||||||||||

▼ El dolor y los celos se vierten en interrogaciones desgarradoras: subráyense los
detalles. Después, el sentimiento se vierte en expresiones muy intensas, entre las que
cabe destacar unas imágenes muy gráficas.

[15]   Con mi llorar las piedras enternecen[36]
su natural dureza y la quebrantan;
los árboles parece que se inclinan;   65
las aves que me escuchan, cuando cantan,
con diferente voz se condolecen
y mi morir cantando me adivinan;
las fieras que reclinan
su cuerpo fatigado   70
dejan el sosegado
sueño por escuchar mi llanto triste:
tú sola contra mí te endureciste,
los ojos aun siquiera no volviendo[37]
a lo que tú hiciste.   75
Salid sin duelo, lágrimas, corriendo▼.

[36] Ablandan.

[37] Sin volver siquiera los ojos.

‒‒

▼ La adecuación entre *alma* y *naturaleza* alcanza en esta estrofa una memorable expresión. Y se observará un nuevo contraste: naturaleza «compasiva» frente a amada «endurecida».

[16]   Mas ya que a socorrerme aquí no vienes,
no dejes el lugar que tanto amaste,
que bien podrás venir de mí segura[38].
80   Yo dejaré el lugar do me dejaste;
ven si por sólo aquesto te detienes.
Ves aquí un prado lleno de verdura,
ves aquí una espesura,
ves aquí un agua clara,
85   en otro tiempo cara,
a quien de ti con lágrimas me quejo;
quizá aquí hallarás, pues yo me alejo,
al que todo mi bien quitarme puede,
que pues el bien le dejo,
no es mucho que el lugar también le quede [...]▼.

[38] Podrás venir sin temor por mí.

▼ Salicio, al fin, renuncia a su amada. Pero véase cómo, de nuevo, el profundo dolor queda envuelto —y contrapesado, diríamos— por otra evocación de una naturaleza serena, apacible, perfecta.

NEMOROSO

[18]   Corrientes aguas, puras, cristalinas,   90
         árboles que os estáis mirando en ellas,
         verde prado de fresca sombra lleno,
39 Lamentos.   aves que aquí sembráis vuestras querellas[39],
         hiedra que por los árboles caminas,
         torciendo el paso por su verde seno: 95
         yo me vi tan ajeno
         del grave mal que siento
         que de puro contento
         con vuestra soledad me recreaba,
         donde con dulce sueño reposaba,   100
         o con el pensamiento discurría
         por donde no hallaba
         sino memorias llenas de alegría▾.

[19]   Y en este mismo valle, donde ahora
         me entristezco y me canso en el reposo,   105
         estuve yo contento y descansado.
         ¡Oh bien caduco, vano y presuroso!
         Acuérdome, durmiendo aquí alguna hora,
         que, despertando, a Elisa vi a mi lado.

▾ Compárese esta bellísima estrofa con la 6.ª, la 8.ª y la 16.ª, advirtiendo los aspectos comunes (paisaje y alma).

110   ¡Oh miserable hado!
        ¡Oh tela delicada[40],
        antes de tiempo dada
        a los agudos filos de la muerte!,
        mas convenible[41] fuera aquesta suerte
115   a los cansados años de mi vida,
        que es más que el hierro fuerte,
        pues no la ha quebrantado tu partida▼.

[40] La vida de su amada Elisa, cortada por la muerte.

[41] Conveniente.

▼ Como en el canto de Salicio, el amor daba sentido al mundo y su ausencia se lo quita. También aquí hallamos intensas exclamaciones. Y una expresiva imagen (versos 111-113).

[20]   ¿Dó están ahora aquellos claros ojos
que llevaban tras sí, como colgada,
mi alma, doquier que ellos se volvían?   120
¿Dó está la blanca mano delicada,
llena de vencimientos y despojos[42]
que de mí mis sentidos le ofrecían?
Los cabellos que vían[43]
con gran desprecio al oro   125
como a menor tesoro
¿adónde están, adónde el blanco pecho?
¿Dó la columna que el dorado techo[44]
con proporción graciosa sostenía?
Aquesto todo ahora ya se encierra,   130
por desventura mía,
en la fría, desierta y dura tierra▼.

. . . .
[42] Botín (Nemoroso, ven-
cido de amor, se había
entregado a ella).
. . . .
[43] Vían.

. . . .
[44] Cuello y cabeza ru-
bia.

||||||||||||||||||||||||||||||||||||||||||||||||||||||||||||||||||||||||||||||||||||||||||||||||||||||||||||||||||||||||||||||||||||||||||||||||||||||

▼ Establézcase el paralelismo entre esta estancia y la n.º **10** de Salicio. Aquí, las
preguntas («¿Dó están...?») pueden recordarnos el *Ubi sunt?;* pero ¿cuál es la diferencia
de significación? En fin, a las preguntas suceden tres versos desconsolados: valórese la
implacable serie de adjetivos del verso final.

[21]   ¿Quién me dijera, Elisa, vida mía,
        cuando en aqueste valle al fresco viento
135   andábamos cogiendo tiernas flores,
        que había[45] de ver, con largo apartamiento, ...
        venir el triste y solitario día   [45] *Había* es aquí bisílaba
        que diese amargo fin a mis amores?   (sinéresis).
        El cielo en mis dolores
140   cargó la mano tanto
        que a sempiterno llanto
        y a triste soledad me ha condenado;
        y lo que siento más es verme atado
        a la pesada vida y enojosa
145   solo, desamparado,
        ciego, sin lumbre, en cárcel tenebrosa [...]▼.

||||||||||||||||||||||||||||||||||||||||||||||||||||||||||||||||||||||||||||||||||||||||||||||||||||||||||||||||||||||||||||||||||||||||||

▼ El contraste entre pasado y presente desemboca en esta estrofa, en la que
domina ya claramente la desolación. Se subrayarán tres aspectos:
    — La ternura de los primeros versos, en contraste con la amargura de los tres
siguientes (nótense los adjetivos).
    — El intenso desgarrón emotivo que introduce la expresión coloquial «cargar la
mano».
    — La carga afectiva de los últimos versos, con su densa adjetivación y el efecto
desolador de la enumeración que remata la estrofa.

[24]   Cual suele el ruiseñor con triste canto
quejarse, entre las hojas escondido,
del duro labrador que cautamente
le despojó su caro[46] y dulce nido   150
de los tiernos hijuelos entretanto
que del amado ramo[47] estaba ausente,
y aquel dolor que siente,
con diferencia tanta[48],
por la dulce garganta   155
despide, y a su canto el aire suena,
y la callada noche no refrena
su lamentable oficio y sus querellas[49],
trayendo de su pena
el cielo por testigo y las estrellas:▼   160

[46] Querido.

[47] Rama o ramaje.

[48] Con un canto tan modulado.

[49] Su triste ocupación y sus lamentos.

▼ Adviértase cómo las estrofas 24 y 25 se encadenan formando un sólo período
)éase la nota siguiente).

[25]   de esta manera suelto yo la rienda
         a mi dolor y así me quejo en vano
         de la dureza de la muerte airada;
         ella en mi corazón metió la mano
165   y de allí me llevó mi dulce prenda[50],   [50] Mi dulce amada.
         que aquél era su nido y su morada.
         ¡Ay, muerte arrebatada[51],   [51] Cruel, furiosa.
         por ti me estoy quejando
         al cielo y enojando
170   con importuno llanto al mundo todo!
         El desigual dolor no sufre modo[52];   [52] Este excesivo dolor no
         no me podrán quitar el dolorido   puede aliviarse.
         sentir si ya del todo
         primero no me quitan el sentido▼.

▼ Desarrollan estas dos estancias (24-25) el símil con el ruiseñor despojado de s
nido y de sus crías. El dolor alcanza suma intensidad en la última estrofa que hemos r
producido:
    — De nuevo se destacará el uso de una expresión coloquial: la muerte «metió
mano» en su corazón, etc.
    — En el centro de la estrofa 25, una exclamación de gran fuerza.
    — Y se comentará el efecto que produce el juego entre *el dolorido sentir* (realza
además por el encabalgamiento) y *el sentido*. La expresión «dolorido sentir», que se l
hecho tan famosa, resume lo más hondo, lo más caracterizador del espíritu garcilasi
no.

32

ÉGLOGA III

[*Fragmentos*]

(Este largo poema —376 versos— presenta dos partes bien diferenciadas. Tras una larga introducción, la parte primera nos presenta un paisaje idílico en el que unas ninfas se solazan y bordan. He aquí el comienzo de esta parte.)

[...] De cuatro ninfas que del Tajo amado
salieron juntas, a cantar me ofrezco:
Filódoce, Dinámene y *Climene,*
Nise, que en hermosura par no tiene.

Cerca del Tajo, en soledad amena,   5
de verdes sauces hay una espesura
toda de hiedra revestida y llena,
que por el tronco va hasta la altura
y así la teje arriba y encadena
que el sol no halla paso a la verdura[53];   10
el agua baña el prado con sonido,
alegrando la vista y el oído.

Con tanta mansedumbre el cristalino
Tajo en aquella parte caminaba
que pudieran los ojos el camino   15
determinar apenas que llevaba[54].
Peinando sus cabellos de oro fino,
una ninfa del agua do moraba
la cabeza sacó, y el prado ameno
vido[55] de flores y de sombra lleno.   20

[53] El sol no halla paso a través del follaje.

[54] El río iba tan lento que los ojos no percibían en qué dirección fluía.

[55] Vio.

Movióla el sitio umbroso, el manso viento,
el suave olor de aquel florido suelo;
las aves en el fresco apartamiento
vio descansar del trabajoso vuelo.
25 Secaba entonces el terreno aliento[56]
el sol, subido en la mitad del cielo;
en el silencio sólo se escuchaba
un susurro de abejas que sonaba [...]▼.

....
[56] El vaho que subía de la
tierra.

*(La ninfa llama luego a otras «hermanas» suyas, que
acuden y se ponen a tejer a orillas del río. Una de las
ninfas, Dinámene, teje el episodio final de la fábula de
Dafne y Apolo. Hélo aquí.)*

Dafne, con el cabello suelto al viento,
30 sin perdonar al blanco pie[57] corría
por áspero camino tan sin tiento
que Apolo en la pintura parecía
que, porque ella templase[58] el movimiento,
con menos ligereza la seguía;
35 él va siguiendo, y ella huye como
quien siente al pecho el odïoso plomo[59].

....
[57] Sin miramiento para
sus pies.

....
[58] Moderase.

....
[59] Como quien ve que l
disparan.

▼ Como sabemos, la Égloga III representa el arte más depurado de Garcilaso
Remansado su dolor, los versos del poeta tejen un mundo transparente de poesí
pura, serena, *clásica*. En estas primeras octavas seleccionadas se observará, junto a la
características referencias mitológicas, la finísima estilización de la naturaleza (que s
comparará con pasajes ya ponderados de la Égloga I). Por otra parte, la musicalida
de Garcilaso alcanza aquí su cima: hay que paladear el ritmo y la sonoridad de lo
versos (como muestra, véase el efecto de «armonía imitativa» de los versos 27-28: la
eses recogen el silencio, sólo interrumpido por la erre que imita el sonido de las abe
jas).

Mas a la fin los brazos le crecían

⁵⁰ Ramas.
y en sendos ramos⁶⁰ vueltos se mostraban;
y los cabellos, que vencer solían
al oro fino, en hojas se tornaban;   40
en torcidas raíces se extendían
los blancos pies y en tierra se hincaban;

⁵¹ El ser o apariencia anterior de Dafne.
llora el amante y busca el ser primero⁶¹,
besando y abrazando aquel madero⁶² [...]▼

⁵² Aquel tronco.

*(Siguen tejiendo las ninfas. Por cierto, una de ellas teje la
muerte de Elisa y el dolor de Nemoroso. Al ocaso, oyen
cantar a dos pastores que, de regreso del campo, hablan
alternativamente de sus amores. Veamos unas estrofas de
esta segunda parte.)*

TIRRENO

Flérida, para mí dulce y sabrosa   45
más que la fruta del cercado ajeno▼▼,
más blanca que la leche y más hermosa
que el prado por abril de flores lleno:
si tú respondes pura y amorosa
al verdadero amor de tu Tirreno,   50
a mi majada arribarás primero

⁵ Muestre.
que el cielo nos amuestre⁶³ su lucero.

▼ Garcilaso ya había tratado el tema de Dafne y Apolo en el soneto XIII (n.º **29** de
esta antología). Recuérdese lo que allí dijimos y compárese con aquel poema la
segunda de estas dos octavas, comprobando cómo acierta Garcilaso a envasar la
materia en una estrofa más breve.

▼▼ Son dos versos bellísimos: ¿en qué radica su penetración expresiva?

ALCINO

Hermosa Filis, siempre yo te sea
amargo al gusto más que la retama,
y de ti despojado yo me vea   55
cual queda el tronco de su verde rama,
si mas que yo el murciélago desea
la oscuridad, ni más la luz desama,
por ver ya el fin de un término tamaño[64]
de este día, para mí mayor que un año [...].   60

[64] Un plazo tan grande
el día se le ha hecho
largo, esperando regresar
junto a su amada).

TIRRENO

El blanco trigo multiplica y crece;
produce el campo en abundancia tierno
pasto al ganado; el verde monte ofrece
a las fieras salvajes su gobierno[65];   65
a doquiera que miro, me parece
que derrama la copia todo el cuerno[66]:
mas todo se convertirá en abrojos[67]
si de ello aparta Flérida sus ojos.

[65] Su sustento.

[66] Que derrama sus riquezas todo el «cuerno de abundancia» (la mítica «cornucopia»).

[67] Plantas inútiles o dañinas.

Alcino

70   De la esterilidad es oprimido
        el monte, el campo, el soto[68] y el ganado;
        la malicia del aire corrompido
        hace morir la hierba mal su grado[69];
        las aves ven su descubierto nido
75   que ya de verdes hojas fue cercado:
        pero si Filis por aquí tornare,
        hará reverdecer cuanto mirare [...]▼.

[68] Terreno con árboles matas, especialmente e las riberas.

[69] A pesar suyo, conti su voluntad.

▼ Obsérvese, ante todo, el juego de paralelismos y contraposiciones entre la palabras de Tirreno y las de Alcino. Dígase cómo se expresa ahora la idea de l importancia del amor, y véase cómo pasan a primer plano los anhelos y la esperanzas. Todo sigue dominado por la elegancia expresiva, por la perfección a tística.

FERNANDO DE HERRERA

Vida y personalidad

De él tenemos pocos datos concretos. Era sevillano, había nacido en 1534, recibió órdenes menores y apenas salió de Sevilla, donde llevó una vida discreta, consagrada al estudio y a la poesía. Murió en 1597.

Fue, pues, un puro «hombre de letras». Su cultura literaria fue vastísima. De carácter, era adusto y retraído: sólo mantuvo trato regular con un estecho círculo de escritores, núcleo de lo que se ha llamado «escuela sevillana».

Sin embargo, un amor aparece como eje de su vida sentimental y literaria: el que le inspiró doña Leonor de Milán, condesa de Gelves, en cuya casa se desarrollaba aquella selecta tertulia de escritores. Pero, con toda probabilidad, tales relaciones —aceptadas por el marido— no pasaron de ser un culto platónico y un alimento de su creación poética.

Poética

Fue Herrera un auténtico erudito que no dejó de reflexio-
nar sobre la creación literaria y el lenguaje poético. Así lo
atestiguan, por ejemplo, sus famosas *Anotaciones* (de 1580)
a las obras de Garcilaso, en las que se aprecian sus propias
ideas estéticas. Fundamentalmente, Herrera rechaza toda
poesía «que fuese fácil a todos y no tuviese encubierta
mucha erudición». Es, pues, partidario de una poesía
culta, artificiosa; de un lenguaje poético que se distancie
del común.

Y así, su obra será fruto de un riguroso trabajo estilístico
en todos los terrenos: sonoridad, colorido, organización
de la frase, uso intencionado de arcaísmos o neologismos,
explotación de las connotaciones léxicas, despliegue de
variados ornamentos retóricos... El resultado será un
estilo complejo, brillante o sutil, que se aleja de la
«naturalidad» garcilasiana y preludia los esplendores
barrocos (de ahí que se haya hablado de *manierismo*). Es,
como sabemos, el dechado de la mencionada *escuela sevillana*.

Con todo, los artificios no entran en las mismas proporcio-
nes en los diversos tipos de poesía que Herrera cultivó. Su
producción es extensa y variada. En los apartados siguientes destacaremos sus dos líneas fundamentales: la amorosa y la heroica. Antes, haremos una rápida alusión a una
serie de *poemas morales* de su última época, de expresión
bastante sobria y muy significativos porque nos descubren una visión desengañada del mundo, con temas como
la fugacidad de la vida, la vanidad de lo terreno y el ideal
de apartamiento del mundo. Son ideas que enlazan con la
tradición ascética medieval o con el estoicismo clásico y
que, a la vez, anuncian el desengaño barroco, tras el
paréntesis renacentista.

Poesía amorosa

Es lo más copioso de su producción: varios centenares de poemas (sonetos, canciones, etc.) que cantan a la condesa de Gelves bajo los nombres de Luz, Sol, Aurora, etc., y que constituyen un verdadero «cancionero» petrarquista, a modo de diario poético.

Como en Garcilaso, la influencia de Petrarca se conjuga con la expresión personal. Su admiración por el poeta italiano y las coincidencias que hay entre las vidas sentimentales de ambos hicieron que Herrera asimilara hondamente el espíritu petrarquista.

El profesor Vilanova ha señalado varias etapas en la historia amorosa que trazan sus versos:

a) Primero es el deslumbramiento al conocer a la dama, las súplicas, las zozobras ante un amor que se presenta como imposible o como «desvarío». Y de ahí una salida hacia la idealización platónica.

b) Parece haber un período breve de amor correspondido, aunque no sabemos hasta qué punto llegó el «favor» (que bien pudo ser «inventado»).

c) En cualquier caso, la amada se distancia nueva y definitivamente, y sigue la etapa más larga, con sus poemas de amor frustrado, que culmina con la muerte de doña Leonor (hacia 1580). A esta etapa pertenecen los tres sonetos escogidos (**33-35**). En ellos se encontrarán temas y acentos muy característicos de la tradición cortesana y petrarquista: remitimos a las notas correspondientes.

En conjunto, la poesía amorosa resulta hoy lo más atractivo de la obra de Herrera, por la «autenticidad» de tono con que desnuda una intimidad doliente, por la fuerza con que expresa un drama interior (sin que importe lo que en todo ello hubiera de realidad o de ficción lírica).

Por lo demás, el estilo es aquí menos ampuloso que en otros poemas, aunque no menos riguroso y trabajado. Destaca la intensidad emocional, las expresiones que recogen las contradicciones y desgarramientos íntimos y la plasticidad de ciertas visiones.

Poesía heroica

Sabemos que, en su juventud, Herrera quiso ser poeta épico, pero se perdieron aquellos ensayos. Ya en su madurez, escribió unos cuantos poemas de temas heroicos o patrióticos que habían de darle gran fama: *Al Santo Rey Don Fernando, A Don Juan de Austria* (por la victoria sobre los moriscos), *A la pérdida del rey Don Sebastián* (en la batalla de Alcazarquivir) y *A la batalla de Lepanto,* entre otros.

De este último ofrecemos ilustrativos fragmentos (**36**). Por ellos se podrá ver hasta qué punto elevó Herrera el tono poético. La unión de dos fervores —el religioso y el patriótico— se expresa con acentos inspirados en modelos greco-latinos y bíblicos. Los artificios retóricos se orientan ahora hacia lo solemne, lo grandioso. Obsérvese, por ejemplo, el ritmo amplio y la sonoridad potente. O la utilización de referencias históricas y mitológicas de gran prestigio en la época. Estamos, en fin, ante una exaltación muy propia del momento imperial.

Estos poemas fueron —insistimos— los que dieron a Herrera mayor fama en su tiempo y en el siglo XVII, y en ellos se han basado los críticos que ven en él un precursor del *culteranismo.* Se trata, sin duda, de admirables creaciones de arte, aunque acaso sea difícil que hagan vibrar hoy a un lector que no esté especialmente preparado.

Significación

Herrera despertó tal admiración que ya en vida mereció el sobrenombre de «el divino». En los párrafos precedentes hemos destacado sus valores y su vigencia. Es, sobre todo, una figura muy característica de esa encrucijada de la segunda mitad del XVI, entre aquel momento de máximo equilibrio renacentista que había representado Garcilaso y la desazón barroca del siglo siguiente. Acaso nadie como él puede encarnar lo que se ha llamado *manierismo*.

33

Voy siguiendo la fuerza de mi hado
por este campo estéril y escondido;
todo calla, y no cesa mi gemido,
y lloro la desdicha de mi estado.

Crece el camino y crece mi cuidado[1],   5
que nunca mi dolor pone en olvido;
el curso[2] al fin acaba, aunque extendido,
pero no acaba el daño dilatado.

¿Qué vale contra un mal siempre presente
apartarse y huir, si en la memoria   10
se estampa, y muestra frescas las señales?

Vuela Amor en mi alcance[3] y no consiente
en mi afrenta[4] que olvide aquella historia
que descubrió la senda de mis males▼.

> Preocupación, inquietud, angustia.
>
> Camino o proceso.
>
> El dios Amor me persigue.
>
> En mi daño.

▼ El amor como destino doloroso e inevitable es el tema de este soneto. Subráyense las hiperbólicas expresiones del sufrimiento en los cuartetos. Pero, como se verá en el primer terceto, es imposible *huir* de ese amor-dolor. Y es imposible *olvidar* (segundo terceto). La referencia, muy típica de Herrera, a un paisaje desolado (verso 2) aparecerá más desarrollada en el soneto que recogemos con el n.º **35**.

34

Pensé, mas fue engañoso pensamiento,
armar de puro hielo el pecho mío;
porque el fuego de Amor al grave frío
no desatase[5] en nuevo encendimiento.

5   Procuré no rendirme al mal que siento,
y fue todo mi esfuerzo desvarío;
perdí mi libertad, perdí mi brío,
cobré un perpetuo mal, cobré un tormento.

El fuego al hielo destempló, en tal suerte[6],
10   que, gastando su humor[7], quedó ardor hecho;
y es llama, es fuego, todo cuanto expiro.

Este incendio no puede darme muerte;
que, cuanto de su fuerza más deshecho,
tanto más de su eterno afán respiro[▼].

[5] Derritiese.

[6] Alteró de tal modo...

[7] Consumiendo su líquido.

[▼] Enlazando con el anterior, expresa este soneto el imposible anhelo de insensibilidad, de oponer el *hielo* al *fuego* de la pasión (es una oposición típica de Petrarca). Es *desvarío* querer huir del amor (versos 5-6). Y la idea de que el amor es *pérdida de libertad* y *tormento perpetuo* se expresa en dos hermosos versos bimembres, el 7 y el 8, entre los que se establece un paralelismo antitético. Tras un nuevo desarrollo de la oposición *fuego/hielo* (primer terceto), véase la paradoja que encierra el terceto final.

35

Yo voy por esta solitaria tierra,
de antiguos pensamientos molestado,
huyendo el resplandor del Sol[8] dorado,
que de sus puros rayos me destierra.

El paso a la esperanza se me cierra;   5
de una ardua cumbre a un cerro vo[9] enriscado,
con los ojos volviendo al apartado
lugar, solo principio de mi guerra.

Tanto bien representa la memoria,
y tanto mal encuentra la presencia,   10
que me desmaya el corazón vencido.

¡Oh crueles despojos[10] de mi gloria,
desconfianza, olvido, celo, ausencia!
¿por qué cansáis a un mísero rendido▼?

Sol, Luz, Aurora, etc.,
on nombres que el poeta
a a su dama.

Voy.

Residuos.

▼ Los cuartetos presentan al poeta con la característica imagen de un caminante o
iajero perdido por un paisaje inhóspito, privado de la luz (la amada), desterrado, sin
speranza, sin paz. Se ha hablado de paisaje «romántico», pero también nos puede
ecordar la situación del viajero perdido de las *serranillas* (véase, sobre todo, en n.º 4).
os tercetos, con su contraposición entre un pasado dichoso y un presente
esdichado, nos recordarán a Garcilaso. En versos como éstos encontramos, sin duda,
 Herrera más hondo, con un temblor en la voz más cercano.

36

A LA VICTORIA DE LEPANTO▼

Cantemos al Señor, que en la llanura
venció del mar al enemigo fiero.
Tú, Dios de las batallas, tú eres diestra,
salud y gloria nuestra.
5   Tú rompieste las fuerzas y la dura
frente de Faraón, feroz guerrero[11].
Sus escogidos príncipes cubrieron
los abismos del mar, y descendieron
cual piedra en el profundo; y tu ira luego
10 los tragó, como arista seca el fuego [...]▼▼.

Vinieron de Asia y de la antigua Egipto[12],
los árabes y fieros africanos,
y los que Grecia junta mal con ellos,
con levantados cuellos[13],
15 con gran potencia y número infinito.
Y prometieron con sus duras manos
encender nuestros fines[14], y dar muerte
con hierro a nuestra juventud más fuerte,
nuestros niños prender y las doncellas,
20 y la gloria ofender y la luz de ellas.

[11] Recuerda aquí cóm Dios defendió a los judí de sus perseguidore egipcios en el paso d mar Rojo.

[12] Tras varias estrofa que hemos saltado, hab de los nuevos enemig de la Cristiandad.

[13] Orgullosos, decidid

[14] Confines, territorios

▼ Con el título exacto de *Canción en alabanza de la Divina Majestad por la victoria d Señor don Juan,* canta Herrera la batalla de Lepanto (1571) en la cual la armad española, capitaneada por don Juan de Austria, venció a los turcos. Recordemos qu fue una victoria decisiva en la que participó como soldado Cervantes.

▼▼ El arranque del poema imita el cántico de Moisés en la *Biblia* (*Éxodo,* XV «Cantaré al Señor, que ha mostrado toda su gloria; El arrojó al mar al caballo y caballero»). En este comienzo y, en todo el poema, se observarán los rasgos centrale de la poesía patriótica de Herrera: la unión de lo heroico y lo religioso, así como tono amplio, solemne, grandioso, tan alabado antaño (y acaso alejado de los gustos a tuales).

Golfos.

Ocuparon del mar los largos senos[15],
en silencio y temor puesta la tierra,
y nuestros fuertes súbito cesaron,
y medrosos callaron;

Mahometanos.

hasta que a los feroces agarenos[16],   25
el Señor eligiendo nueva guerra,
se opuso el joven de Austria valeroso
con el claro español y belicoso;
que Dios no sufre en Babilonia viva

Sion (Jerusalén) desig-
na aquí a la Cristiandad y
Babilonia a sus enemigos
(recuerdo de la ocupa-
ción de Israel por los ba-
bilonios).

su querida Sión[17] siempre cautiva [...]▼   30

El demonio, el enemi-
go de la Cristiandad.

Quebrantaste al dragón fiero[18], cortando
las alas de su cuerpo temerosas,
y sus brazos terribles no vencidos,
que con hondos gemidos

Lanzando silbidos o
gritos de dolor..

se retira a su cueva silbos dando[19],   35
y tiembla con sus sierpes venenosas,
lleno de miedo torpe sus entrañas,

Don Juan de Austria.

de tu león[20] temiendo las hazañas;
que, saliendo de España, dio un rugido,
que con espanto lo dejó aturdido.   40

Del poderoso varón
Selim II, rey de los tur-
cos vencido en Lepan-
to.

Hoy los ojos se vieron humillados
del sublime varón[21] y su grandeza,
y tú sólo, Señor, fuiste exaltado;
que tu día es llegado,
Señor de los ejércitos armados,   45
sobre la alta cerviz y su dureza,
sobre derechos cedros y extendidos,

Tiro, ciudad fenicia, es
otro símbolo de los ene-
migos del pueblo de
Dios.

sobre empinados montes y crecidos,
sobre torres, y muros, y las naves
de Tiro[22], que a los tuyos fueron graves [...]   50

▼ Las dos estancias anteriores presentan el peligro turco ante el que van a
accionar los españoles. Las estrofas que a continuación transcribimos recogen la
victoria del ejército cristiano, seguida de unas alabanzas a Dios.

Bendita, Señor, sea tu grandeza,
que después de los daños padecidos,
después de nuestras culpas y castigo,
rompiste al enemigo
55   de la antigua soberbia la dureza.
Adórente, Señor, tus escogidos;
confiese[23] cuanto cerca el ancho cielo
tu nombre, oh nuestro Dios, nuestro consuelo
y la cerviz rebelde, condenada,
60   padezca en bravas llamas abrasada.

A ti sólo la gloria
por siglos de los siglos, a ti damos
la honra, y humillados te adoramos.

[23] Reconozca.

FRAY LUIS DE LEÓN

Vida y personalidad

Nace en 1527 ó 28 en Belmonte (Cuenca). Vive en Madrid
y Valladolid hasta que se traslada a Salamanca, donde
ingresa en los agustinos (1543). En la Universidad salmantina y en la de Alcalá realiza largos estudios que le dan una
profunda formación en Filología (lenguas clásicas, he-
breo...) y en Teología. En 1561 gana una cátedra de
Salamanca. Su fama crece, pero también se atrae acérri-
mos enemigos: se le echa en cara su ascendencia judía, se
le reprochan sus críticas a la versión oficial de la Biblia (la
Vulgata latina) y se le acusa de haber traducido el *Cantar de
los Cantares* al castellano, cosa prohibida por la Iglesia.
Como consecuencia, es procesado por la Inquisición y,
durante casi cinco años, sufre dura cárcel en Valladolid.
En 1576, por fin, se reconoce su inocencia y vuelve a la

Universidad (la anécdota de que reanudó las clases con la frase «Decíamos ayer...» no parece cierta). Siguen años de intenso trabajo, no exentos de luchas (en 1584 se le inició otro proceso). Alcanzó altas dignidades en su orden. Murió en 1591, en Madrigal de las Altas Torres.

Fue Fray Luis un hombre de carácter enérgico y apasionado. Como intelectual, le caracterizaban la solidez, el rigor y la pasión por la verdad, lo que le llevó a posiciones renovadoras que tantos sinsabores le causaron. El rigor y la solidez presidirán también —como veremos— su creación literaria.

Rasgos centrales de su personalidad son el anhelo de plenitud, la sed de armonía, que alimentaban su «nostalgia de cielo»; vivió en este mundo con espíritu de «desterrado».

El escritor

En la creación de Fray Luis se funden distintas tradiciones e influencias. En síntesis, subrayemos cómo logró armonizar el *espíritu cristiano* y el *humanismo clásico,* gracias a un conocimiento igualmente profundo de las Sagradas Escrituras y de los clásicos greco-latinos (sobre todo, Horacio), así como de los grandes humanistas del Renacimiento.

No nos corresponde hablar aquí de su obra en prosa: recuérdese que títulos como *La perfecta casada,* la *Exposición del libro de Job* o, sobre todo, *De los nombres de Cristo,* son cimas de la prosa clásica española. En ellas, como en sus poesías, aparece Fray Luis como un egregio *artista del lenguaje.* Los imperativos renacentistas de *selección* y *naturalidad* fueron sus ejes. Es obligado citar unas palabras que dan prueba de su sentido de la lengua, de su conciencia estilística:

> «Piensan que hablar romance es hablar como se habla en el vulgo, y no conocen que el bien hablar no es común, sino negocio de particular juicio, así en lo que se dice como en la manera como se dice. Y negocio que, *de las palabras que todos hablan, elige las que le convienen, y mira el sonido de ellas, y aun cuenta a veces las letras, y las pesa y las mide y las compone,* para que no solamente digan con claridad lo que se pretende decir, sino también con armonía y dulzura».

Únicamente cabe matizar que, junto a —o por encima de— la «armonía y dulzura», Fray Luis apuntará a la *intensidad* emocional. La tensión entre anhelo de paz e inevitables contiendas hace que los momentos de inigualable armonía alternen con desgarradas expresiones de desamparo.

Pero, en una u otra cuerda, Fray Luis muestra siempre su cálida capacidad de sacudir nuestra sensibilidad. Ello se debe, entre otras cosas, a su uso sobrio y certero de ciertas imágenes, a la viveza de su discurso, con penetrantes cambios de tono, a la alternancia de frases enunciativas y exclamativas, a la frecuencia de interrogaciones retóricas o de exhortaciones al lector...

Su dominio de los efectos de ritmo es asombroso, como muestra su empleo de la *lira,* estrofa en que compuso la inmensa mayoría de sus poemas. En las lecturas se notarán las expresivas modulaciones del ritmo, ora suave y apacible, ora nervioso y desasosegado.

En suma, la lengua poética de Fray Luis hermana de modo insuperable perfección y fuerza comunicativa.

Obra poética: aspectos centrales

La poesía original de Fray Luis no es muy amplia: 23
composiciones de variable extensión. Los intentos de
clasificarlas cronológicamente (al menos situándolas *antes, en* o *después de* la cárcel) no han dado resultados
definitivos. Para nosotros, sus principales poemas pueden
agruparse en tres secciones, partiendo de la siguiente
formulación: desde una visión dramática de la condición
del hombre en la tierra *(a)*, Fray Luis buscó el consuelo o
la salvación del «cuidado» por dos caminos: la vida
retirada *(b)* o el sueño de la «morada celeste» *(c)*. De
acuerdo con ello ordenaremos los poemas que hemos
escogido. Precisémoslo.

a) En el arranque de la poesía luisiana estaría el *sentimiento de no plenitud* y hasta de *desamparo.* Ello se explica en
buena parte por los sinsabores de su existencia (persecu-
ciones, cárcel...); pero, más allá de las circunstancias
concretas, en este hombre sediento de armonía hacen
dolorosa mella las inarmonías, las discordancias del mundo, esa otra «cárcel». La oda *En la Ascensión* (**37**) es acaso
la que expresa con mayor densidad y más amplio alcance
su radical desamparo, mientras que *En una esperanza que
salió vana* (**38**) es el testimonio más dramático de sus
angustias de prisionero. (En esta misma línea están otros
poemas, como el intenso *A Nuestra Señora,* que no inclui-
mos). En fin, la famosa «décima» (**39**) enlaza la experiencia de la cárcel con esos grandes anhelos que se explaya-
rán en los poemas siguientes.

b) La primera vía de consuelo será *el ideal de vida retirada,*
con todo lo que ella propicia: paz interior, cultivo de la
virtud, contemplación de la naturaleza, dedicación al
estudio... Para plasmar poéticamente este anhelo, Fray
Luis contó con el modelo de Horacio, el gran poeta latino
(siglo I a. C.) que cantó el «apartamiento» en su *Beatus ille*
y propugnó una vida modesta y apacible, la *aurea*

mediocritas («dorada medianía»). Pero estos ecos clásicos se funden con la *tradición ascética* de la huida del mundo, en esa síntesis perfecta —antes aludida— entre lo clásico y lo cristiano. La pieza central de esta sección es, por supuesto, la celebérrima oda a la *Vida retirada* (**40**), junto a la que leeremos un fragmento del poema *Al apartamiento* (**41**). El mismo espíritu alienta en otros hermosos poemas que no cabían en estas páginas: la oda *A Juan de Grial* («Recoge ya en el seno») o dos de las dedicadas *A Felipe Ruiz* («En vano el mar fatiga» y «¿Qué vale cuanto vee»).

c) El otro camino para escapar de limitaciones y zozobras conducía a la *prefiguración de la vida del cielo*. Su «nostalgia de paraíso» le llevaba a construir sueños de esa morada de la paz, la alegría y la hermosura supremas. Debe precisar-se que —pese a lo vivísimo de ciertas visiones— Fray Luis *no es un místico*. No vivió la experiencia del éxtasis y la unión con Dios: sólo la imagina anhelosamente. Es la representación nostálgica de la suma armonía desde las disonancias del mundo, la evocación de la plenitud desde la conciencia de no plenitud. La cima de esta poesía —y lo más parecido a las experiencias místicas— es la oda *A Salinas* (**42**). Hermosísima es también *Noche serena* (**43**). Y habría que añadir poemas como otro de los dedicados a Felipe Ruiz («¿Cuándo será que pueda...») y el titulado *De la vida del cielo* o *Morada del cielo* («Alma región luciente»).

Otros aspectos

Los títulos a que hemos hecho alusión son aproximada-mente la mitad de los poemas originales de Fray Luis. En los restantes, aparte algunas composiciones de circunstan-cias, predominan los *temas morales:* elogio de virtudes, censura de vicios (la ambición, la avaricia...), advertencia sobre la caducidad de los bienes terrenos (es importante el poema *A una señora pasada su mocedad*), etc. Citaremos también dos poemas hagiográficos (*A Santiago* y *A todos los*

Santos) y una espléndida oda de tema histórico, con resonancias morales, sobre la pérdida de España: la *Profecía del Tajo*.

Como complemento, aludiremos brevísimamente a sus *imitaciones* y *traducciones*. Entre las primeras destacan cinco sonetos amorosos que, sin duda, son un puro ejercicio en la línea petrarquista. En cambio, como traductor poético, su talla es inmensa: sus versiones asombran por el equilibrio entre fidelidad y belleza, tanto si se trata de poemas griegos y latinos (Píndaro, Virgilio, Horacio, etc.), como de poemas hebreos (*Salmos, Cantar de los Cantares...*).

Significación y fama

Fray Luis ha sido considerado cima del Renacimiento «español», por su modo de fundir elementos clásicos, italianos, etc., con aspectos enraizados en el vivir hispánico. Lo indudable es que no hay nadie más representativo de su tiempo, de ese momento entre el Renacimiento más sereno y el malestar barroco. Una frase de Dámaso Alonso lo resume: «Entre armonía y desarmonía se polariza todo el arte de Fray Luis». Pero, a diferencia del «manierismo» de Herrera, el agustino mantiene un equilibrio tan ejemplar que nadie como él merece ser llamado «clásico».

Y si alguien dijo que un clásico es «un compañero eterno», en ese sentido lo es Fray Luis. Su fama, en efecto, no ha sufrido altibajos a través de los siglos: siempre se le ha colocado en la primerísima fila de nuestros poetas. Ello se debe, sin duda, a la hondura y la perfección con que sus poemas nos hablan —hoy mismo— de inquietudes y anhelos fundamentales del hombre.

37

EN LA ASCENSIÓN▼

¿Y dejas, Pastor santo,
tu grey en este valle hondo, oscuro,
con soledad y llanto;
y tú, rompiendo el puro
aire, te vas al inmortal seguro?   5

Los antes bienhadados[1]
y los ahora tristes y afligidos,
a tus pechos criados,
de ti desposeídos,
¿a dó convertirán[2] ya sus sentidos?   10

¿Qué mirarán los ojos,
que vieron de tu rostro la hermosura,
que no les sea enojos[3]?
quien oyó tu dulzura
¿qué no tendrá por sordo y desventura?   15

Aqueste mar turbado
¿quién le pondrá ya freno? ¿quién concierto
al viento fiero, airado?
estando tú encubierto,
¿qué Norte guiará la nave al puerto?   20

¡Ay, nube envidiosa
aun deste breve gozo! ¿qué te aquejas[4]?
¿Dó vuelas presurosa?
¡Cuán rica tú te alejas!
¡Cuán pobres y cuán ciegos, ay, nos dejas!   25

[1] Afortunados, felices.

[2] ¿Adónde dirigirán sus sentidos?

[3] Motivos de pena.

Aquejarse tiene aquí el sentido antiguo de «apresurarse».

▼ Este poema se ha supuesto —como el siguiente— escrito en la cárcel. Comenzamos con él porque expresa con ejemplar densidad ese sentimiento de *no lenitud de la existencia terrena* que está en la base de la poesía de Fray Luis. Y proponemos un comentario detallado.

COMENTARIO 4 («En la Ascensión»)

▶ *Sitúa este poema dentro de los temas fundamentales de la poesía de Fray Luis.*

▶ *El poeta se sitúa entre los apóstoles en el momento de la Ascensión. ¿Cuál es el sentimiento con que imagina vivir aquel momento? ¿Qué relación puede tener tal enfoque con las experiencias vitales de Fray Luis?*

▶ *Estructura: estrofas utilizadas y distribución del contenido en ellas.*

▶ Estrofa I. —*Señala, entre otras cosas, las siguientes: valor de la interrogación (válido también para estrofas posteriores); adjetivos y sustantivos con que se caracteriza la vida terrena; contraste entre los versos 1-3 y los versos 4-5; fuerza del verbo «rompiendo»; efecto del encabalgamiento.*

▶ Estrofas II y III. —*¿Qué se prolonga y qué se precisa de lo ya planteado? Sigue fijándote en los efectos de contraste u oposición.*

▶ Estrofa IV. —*¿Con qué imágenes se habla del mundo? En especial, ¿qué idea del vivir humano nos da el verso 20?*

▶ Estrofa V. —*Nótese cómo las exclamaciones dominan ahora sobre las interrogaciones: ¿por qué? En los dos versos finales aparece un nuevo contraste: señálese. Valórese la intensidad emocional del último verso. El poema termina con el mismo verbo que lo abría («dejas»): justifícalo en relación con el tema central.*

▶ *Conclusiones: Opina sobre el alcance de este poema, pensando en la vida de Fray Luis y en su tiempo. ¿Y qué alcance puede tener para el lector de hoy? Perfección y emoción en este poema.*

38

EN UNA ESPERANZA QUE SALIÓ VANA▼

⁵ *Contentos* es vocativo.

⁶ *Pudisteis* (como luego *fuisteis*) presenta aquí su terminación antigua (-*stes*).

⁷ Alude al pregón con que la Inquisición condenaba públicamente a alguien.

Huid, contentos⁵, de mi triste pecho;
¿qué engaño os vuelve a do nunca pudistes⁶
tener reposo ni hacer provecho?

Tened en la memoria cuando fuistes
con público pregón⁷, ¡ay!, desterrados   5
de toda mi comarca y reinos tristes,

a do ya no veréis sino nublados
y viento y torbellino y lluvia fiera,
suspiros encendidos y cuidados.

No pinta el prado aquí la primavera   10
ni nuevo sol jamás las nubes dora
ni canta el ruiseñor lo que antes era;
la noche aquí se vela, aquí se llora
el día miserable sin consuelo
y vence al mal de ayer el mal de ahora▼▼.   15

Guardad vuestro destierro, que ya el suelo
no puede dar contento al alma mía,
si⁸ ya mil vueltas diere andando el cielo.

⁸ Aunque.

⁹ Plantas espinosas (figuradamente «penas»).

Guardad vuestro destierro, si alegría,
si gozo y si descanso andáis buscando,
que aqueste campo abrojos⁹ solos cría.

||||||||||||||||||||||||||||||||||||||||||||||||||||||||||||||||||||||||||||||||||||||||||||||||||||||||||||||||||||||||||||||

▼ Es muy probable que este amargo poema se escribiera en la cárcel, en un momento en que Fray Luis abrigó en vano esperanzas de ser absuelto y liberado. Atiéndase a las referencias biográficas concretas que contienen estos versos.

▼▼ En los *versos 1-15* Fray Luis nos dice que la alegría ha sido «desterrada» de su alma; pero ¿con qué imágenes hace gráfica esa idea? Obsérvese el amargo lirismo de este arranque.

Guardad vuestro destierro, si tornando
de nuevo no queréis ser castigados
con crudo azote y con infame bando[10].

25   Guardad vuestro destierro, que, olvidados
de vuestro ser, en mí seréis dolores:
¡tal es la fuerza de mis duros hados▼!

Los bienes más queridos y mayores
se mudan y en mi daño se conjuran,
30   y son por ofenderme a sí traidores.

Mancíllanse mis manos, si se apuran[11];
la paz y la amistad me es cruda guerra;
las culpas faltan, mas las penas duran.

[10] Nueva alusión a los procedimientos de la Inquisición.

[11] Mis manos se manchan si pretenden mostrar su pureza.

▼ *Versos 16-27.* Estas cuatro estrofas comienzan con la misma expresión; ¿cómo se llama esta figura?, ¿qué efecto nos produce? Señala otros rasgos que contribuyan al patetismo de estos versos.

Quien mis cadenas más estrecha y cierra
es la memoria mía y la pureza; 35
cuando ella sube, entonces vengo a tierra.

Mudó su ley en mí naturaleza,
y pudo en mi dolor lo que no entiende
ni seso humano ni mayor viveza[12].

[12] Inteligencia.

Cuanto desenlazarse más pretende 40
el pájaro cautivo, más se enliga[13],
y la defensa mía más me ofende.

[13] Más se enreda en la liga o lazo.

En mí la culpa ajena se castiga
y soy del malhechor, ¡ay!, prisionero,
y quieren que de mí la Fama diga[14]▼. 45

[14] Quieren que se hable mal de mí.

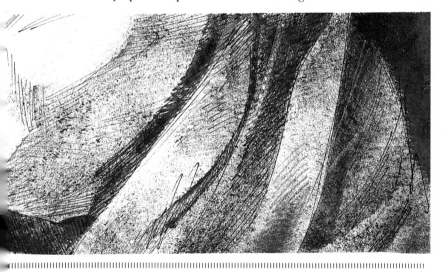

▼ Los *versos 28-45* desarrollan una cruel paradoja: es la inocencia del autor el motivo de la persecución y condena que padece. ¿En qué expresiones adquiere mayor intensidad tal paradoja? Los versos 43-44 son especialmente valientes y duros: ¿por qué?

— Se habrán ido advirtiendo las alusiones a la Inquisición; añádanse las que se verán en seguida (versos 46-47: *ley, fuero, alto tribunal*) y véase hasta qué punto es directa la protesta de Fray Luis.

Dichoso el que jamás ni ley ni fuero[15]
ni el alto tribunal ni las ciudades
ni conoció del mundo el trato fiero;

50 que por las inocentes soledades
recoge el pobre cuerpo en vil cabaña
y el ánimo enriquece con verdades.

Cuando la luz el aire y tierras baña,
levanta al puro sol las manos puras,
sin que se las aplomen[16] odio y saña.

55 Sus noches son sabrosas[17] y seguras;
la mesa le abastece alegremente
el campo, que no rompen rejas[18] duras.

Lo justo le acompaña y la luciente
verdad, la sencillez en pechos de oro,
60 la fe no colorada[19] falsamente.

De ricas esperanzas almo[20] coro
y paz con su descuido le rodean,
y el gozo, cuyos ojos[21] huye el lloro.

65 Allí, contento, tus moradas sean;
allí te lograrás[22]; y a cada uno
de aquellos que de mí saber desean
les di[23] que no me viste en tiempo alguno▼.

[15] Se refiere a las leyes especiales, como aquellas por las que se regía el «alto tribunal» de la Inquisición.

[16] Sin que se las hagan pesadas.

[17] Gratas, deliciosas.

[18] Arados.

[19] Coloreada, teñida.

[20] Vivificador, reconfortante.

[21] De cuyos ojos.

[22] Allí te realizarás o te desarrollarás.

[23] Diles.

▼ *Versos 46-63.* En violento contraste con su angustiosa situación, Fray Luis sueña aquí en la paz de la vida retirada. La expresión «Dichoso el que...» es calco del *Beatu ille...* con que empieza un famoso poema de Horacio (véase la nota al n.º **40**). ¿Qué e lo que añora el poeta en estos versos? (Destaca los principales detalles y algunos verso especialmente hermosos.)

— Nuevo contraste: los *versos finales* (64-67) enlazan con el principio. Nótese l amargura de la última frase.

39

A LA SALIDA DE LA CÁRCEL

Aquí la envidia y mentira
me tuvieron encerrado.
Dichoso el humilde estado
del sabio que se retira
de aqueste mundo malvado,   5

y con pobre mesa y casa
en el campo deleitoso
con sólo Dios se compasa[24]
y a solas su vida pasa,
ni envidiado ni envidioso▼.   10

[24] Se acompasa, se pone
de acuerdo.

▼ Es justamente famosa esta mal llamada «décima» (se trata propiamente de dos
quintillas). Condensan estos versos tres aspectos centrales de la lírica luisiana: las
asechanzas del mundo, el ideal de vida retirada y la entrega a Dios. Por lo demás,
admira la perfección con que van enlazándose los versos hasta un final redondo.

40

VIDA RETIRADA▼

    ¡Qué descansada vida
la del que huye el mundanal ruïdo
y sigue la escondida
senda, por donde han ido
5   los pocos sabios que en el mundo han sido;

    que no le enturbia el pecho
de los soberbios grandes el estado[25],
ni del dorado techo
se admira, fabricado
10   del sabio moro, en jaspes sustentado!

    No cura[26] si la fama
canta con voz su nombre pregonera,
ni cura si encarama
la lengua lisonjera
15   lo que condena la verdad sincera.

    ¿Qué presta[27] a mi contento,
si soy del vano dedo señalado;
si, en busca de este viento[28],
ando desalentado,
20   con ansias vivas, con mortal cuidado[29]▼▼?

[25] La posición social.

[26] No se preocupa, no se inquieta.

[27] Aprovecha o ayuda.

[28] El «viento» de la opinión ajena.

[29] Inquietud, angustia.

▼ Esta famosísima composición, también llamada *Canción a la vida solitaria,* está inspirada por el poema de Horacio que ya hemos citado y del que Fray Luis había hecho una espléndida traducción: *Beatus ille qui procul negotiis...* («Dichoso el que de pleitos alejado...»). Pero la oda de nuestro poeta es de sentido más amplio y, a la vez, está hondamente anclada en su experiencia propia. Algo de ello veremos en las notas siguientes.

▼▼ *Versos 1-20.* ¿Qué aspectos de la vida mundanal se rechazan? ¿A qué motivos de inquietud, de desazón alude Fray Luis en las estrofas 3.ª y 4.ª? Nótese la intensidad expresiva de los versos 19 y 20.

¡Oh monte, oh fuente, oh río!

[30] Sustantivo: «puerto seguro».

¡Oh secreto seguro[30], deleitoso!,
roto casi el navío,

[31] Vivificador, reconfortante.

a vuestro almo[31] reposo
huyo de aqueste mar tempestuoso.   25

Un no rompido sueño,
un día puro, alegre, libre quiero;
no quiero ver el ceño
vanamente severo
de a quien la sangre ensalza, o el dinero.   30

Despiértenme las aves
con su cantar sabroso no aprendido;
no los cuidados graves,
de que es siempre seguido

[32] Está sujeto, está pendiente de...

el que al ajeno arbitrio está atenido[32].   35

Vivir quiero conmigo;
gozar quiero del bien que debo al cielo,
a solas, sin testigo,
libre de amor, de celo,
de odio, de esperanzas, de recelo▼.   40

||||||||||||||||||||||||||||||||||||||||||||||||||||||||||||||||||||||||||||||||||||||||||||||||||||||||||||||||||||||||||||||

▼ *Versos 21-40.* Obsérvese el contraste entre estos versos y los anteriores, contraste que se condensa en la oposición entre las imágenes del «puerto seguro» (v. 22) y del «mar tempestuoso» (v. 25). ¿Qué aspectos del retiro campestre se ponen de relieve? Valórese el lirismo de estas estrofas. Y junto a ello, en los versos 36-40, los valores morales, la libertad interior y la serenidad que busca el poeta; todo expresado con insuperable belleza.

Del monte en la ladera,
por mi mano plantado, tengo un huerto,
que con la primavera,
de bella flor cubierto,
45   ya muestra en esperanza el fruto cierto;

y, como codiciosa
por ver y acrecentar su hermosura,
desde la cumbre airosa
una fontana pura
50   hasta llegar corriendo se apresura;

y luego, sosegada,
el paso entre los árboles torciendo,
el suelo, de pasada,
de verdura vistiendo
55   y con diversas flores va esparciendo.

El aire el huerto orea
y ofrece mil olores al sentido;
los árboles menea
con un manso ruido,
60   que del oro y del cetro[33] pone olvido▼.

Ténganse su tesoro
los que de un falso leño[34] se confían;
no es mío ver el lloro
de los que desconfían,
65   cuando el cierzo y el ábrego[35] porfían.

[33] La riqueza y el poder.

[34] Barco (en el que los comerciantes van en busca de riquezas).

[35] Vientos del norte y del sur.

▼ *Los versos 41-60* se refieren concretamente al huerto de La Flecha, finca de los agustinos a orillas del Tormes, a siete kilómetros de Salamanca. La visión de aquel lugar ameno, delicioso, lleno de paz, es servida por unos versos de una andadura sosegada, de un ritmo lento y apacible (nótese el efecto de las pausas). La impresión de serenidad y armonía es inigualable, especialmente en las estrofas primera y última de este pasaje. Merece destacarse la bellísima expresión de los versos 44-45.

36 Mástil o palo al que va
sujeta la vela.

37 Abastecida.

38 Encabalgamiento hoy
sorprendente, pero Fray
Luis sabía que, en su origen, se trataba de dos
palabras: «con espíritu
miserable, digno de com-
pasión».

39 Con sed de poder.

40 Con hiedra y laurel se
coronaba a los poetas
vencedores en los certá-
menes.

41 Armonioso.

42 Púa con que se pulsan
las cuerdas de un instru-
mento.

La combatida antena[36]
cruje, y en ciega noche el claro día
se torna; al cielo suena
confusa vocería,
y la mar enriquecen a porfía▼.   70

A mí una pobrecilla
mesa, de amable paz bien abastada[37],
me baste; y la vajilla,
de fino oro labrada,
sea de quien la mar no teme airada.   75

Y mientras miserable-
mente[38] se están los otros abrasando
con sed insaciable
del peligroso mando[39],
tendido yo a la sombra esté cantando;   80

a la sombra tendido,
de hiedra y lauro[40] eterno coronado,
puesto el atento oído
al son dulce, acordado[41],
del plectro[42] sabiamente meneado.   85

||||||||||||||||||||||||||||||||||||||||||||||||||||||||||||||||||||||||||||||||||||||||||||||||||||||||||||||||||||||||||||||||||||

▼ Los *versos 61-70* establecen un nuevo contraste: volvemos al «mar tempestuoso» al «navío» en peligro, imagen del vivir mundano con sus asechanzas y sinsabores. En la segunda de estas dos estrofas se notará el empleo insistente del encabalgamiento: apréciese el efecto de ritmo entrecortado, de desasosiego, que se produce. ¡Qué distinto del ritmo apacible de las estrofas anteriores! Es admirable la adecuación entre ritmo y sentimiento que logra Fray Luis.

41

AL APARTAMIENTO▼

(Fragmento)

¡Oh ya seguro puerto
de mi tan luengo error[43]! ¡oh deseado
para reparo[44] cierto
del grave mal pasado!
¡reposo dulce, alegre, descansado!;
   techo pajizo[45], adonde
jamás hizo morada el enemigo
cuidado[46], ni se esconde
envidia en rostro amigo,
ni voz perjura, ni mortal testigo;
   sierra que vas al cielo
altísima, y que gozas del sosiego
que no conoce el suelo,
adonde el vulgo ciego
ama el morir, ardiendo en vivo fuego:
   recíbeme en tu cumbre,
recíbeme, que huyo perseguido
la errada muchedumbre,
el trabajar perdido,
la falsa paz, el mal no merecido;
   y do está más sereno
el aire me coloca[47], mientras curo
los daños del veneno[48]
que bebí mal seguro,
mientras el mancillado pecho apuro[49];

Lines: 5, 10, 15, 20, 25

[43] «Larga desviación de mi camino» (se refiere al tiempo pasado en la cárcel).

[44] Reparación, remedio.

[45] Techo de paja (de una humilde cabaña).

[46] Inquietud.

[47] Colócame (imperativo con el pronombre antepuesto).

[48] Los efectos del odio de sus enemigos.

[49] Purifico (el pecho manchado por el resentimiento).

▼ Este poema lleva en otras ediciones este título: *Descanso después de la tempestad*. Es muy verosímil que Fray Luis la escribiera en los días que siguieron a su liberación. Son varias las expresiones que aluden a los sufrimientos pasados y a las insidias de sus enemigos: señálense. Por lo demás, compárese este poema con el anterior, indicando semejanzas y diferencias.

mientras que poco a poco
borro de la memoria cuanto impreso
dejó allí el vivir loco
por todo su proceso
vario entre gozo vano y caso avieso[50].   30

En ti, casi desnudo
de este corporal velo[51], y de la asida
costumbre roto el ñudo,
traspasaré la vida
en gozo, en paz, en luz no corrompida [...]▼.   35

. . . .
[50] Torcido o perverso.

. . . .
[51] Casi desasido del cuerpo.

▼ Los dos últimos versos sintetizan admirablemente los más hondos anhelos del poeta. Siguen seis estrofas más que no reproducimos aquí; en ellas, Fray Luis vuelve a desarrollar el tema de la navegación por un mar embravecido, como contraste de la vida retirada.

42

A FRANCISCO DE SALINAS▼

El aire se serena
y viste de hermosura y luz no usada[52],   [52] No gastada, intacta.
Salinas, cuando suena
la música extremada[53],   [53] Bellísima.
5   por vuestra sabia mano gobernada.

A cuyo son divino
el alma, que en olvido está sumida[54],   [54] Olvidada de lo espiritual.
torna a cobrar el tino
y memoria perdida
10 de su origen primera esclarecida[55].   [55] El alma ha recordado su origen divino.

Y, como se conoce,
en suerte y pensamiento se mejora;
el oro desconoce[56]   [56] Se desentiende de las riquezas.
que el vulgo vil adora,
15 la belleza caduca engañadora▼▼.

Traspasa el aire todo
hasta llegar a la más alta esfera
y oye allí otro modo
de no perecedera
20 música, que es la fuente y la primera.

▼ Tras el ideal de «apartamiento» del mundo, expresado en lo dos poemas
anteriores, esta oda y la siguiente recogerán la «nostalgia de cielo», cima de los
anhelos del poeta. Salinas, entrañable amigo de Fray Luis, fue catedrático de música
de la Universidad de Salamanca y organista de la catedral. Era ciego, pero —como
dirá delicadamente Fray Luis— su música era «luz» (v. 2) que elevaba al alma por
encima de «todo lo visible», que es «triste lloro» (v. 40).

▼▼ Se inicia en estas estrofas un proceso que tiene relaciones con las experiencias
místicas (luego lo precisaremos). El alma cobra conciencia de su naturaleza y de su
destino, se desprende de las apetencias mundanas y se eleva hacia Dios. Pero Fray
Luis parte de Platón, para quien la belleza —aquí representada por la música— hace
que el espíritu se eleve hacia la belleza suprema.

⁷ De cadencias armono-
as. (Según Pitágoras la
rmonía tenía una base
natemática).

³ Respuesta que «suena
n armonía» con la músi-
a de Salinas.

⁹ Ninguna cosa acciden-
al.

⁾ ¡Ojalá durase...!

Y como está compuesta
de números concordes⁵⁷, luego envía
consonante respuesta⁵⁸;
y entre ambas a porfía
se mezcla una dulcísima armonía▼.   25

Aquí la alma navega
por un mar de dulzura y finalmente
en él ansí se anega,
que ningún accidente⁵⁹
extraño o peregrino oye o siente.   30

¡Oh desmayo dichoso!
¡oh muerte que das vida! ¡oh dulce olvido!
¡durase⁶⁰ en tu reposo
sin ser restituido
jamás aqueste bajo y vil sentido!▼▼   35

||||||||||||||||||||||||||||||||||||||||||||||||||||||||||||||||||||||||||||||||||||||||||||||||||||||||||||||||||||||||||||||||||||||||||||||

▼ *Versos 16-25.* Aquí juega poéticamente Fray Luis con otras doctrinas clásicas:
— Pitágoras (siglo VI a. de C.) reducía el mundo a «número», a armonía; el
movimiento armónico del universo, de los astros, era como una música («música celes-
al»).
— Tolomeo (siglo II d. de C.) describió el universo como una serie de esferas
oncéntricas en torno a la Tierra. La última esfera, «la más alta», era el reino de los
oses.
Véase cómo Fray Luis *cristianiza* las bellas ideas clásicas y las pone al servicio de su
ueño de «dulcísima armonía» y de comunicación con Dios.

▼▼ *Versos 26-35.* Culmina el proceso de elevación. La primera estrofa, con una
agen bellísima, expresa una especie de éxtasis. Las exclamaciones de los versos 31-
2 encierran antítesis muy características del lenguaje místico: con este tipo de
xpresiones (herencia de los «opósitos» del amor cortés) se quería dar idea de lo
sólito e inefable de ciertas experiencias. Pero Fray Luis no ha ido más allá de un
ermosísimo sueño momentáneo, tras el que se ve de nuevo en este mundo «bajo y
l». (Los especialistas en estas cuestiones, con escasas discrepancias, no consideran al
tor como un místico.)

A este bien os llamo,
gloria del apolíneo sacro coro[61],
amigos a quien amo
sobre todo tesoro,
que todo lo visible es triste lloro.

¡Oh, suene de contino[62],
Salinas, vuestro son en mis oídos,
por quien al bien divino
despiertan los sentidos,
40   quedando a lo demás adormecidos!

45

[61] «Coro del dios Apolo», sus amigos poetas.

[62] Continuamente, sin cesar.

43

NOCHE SERENA

(Fragmentos)

Cuando contemplo el cielo,
de innumerables luces adornado,
y miro hacia el suelo
de noche rodeado,
en sueño y en olvido sepultado,   5

el amor y la pena
despiertan en mi pecho un ansia ardiente;
despiden larga vena[63]
los ojos hechos fuente,
Loarte[64], y digo al fin con voz doliente▼:   10

«Morada de grandeza,
templo de claridad y hermosura,
el alma, que a tu alteza
nació, ¿qué desventura
la tiene en esta cárcel baja, oscura[65]?   15

¿Qué mortal desatino
de la verdad aleja así el sentido,
que, de tu bien divino
olvidado, perdido
sigue[66] la vana sombra, el bien fingido?   20

Marginal notes:

....
Abundante llanto.

....
Amigo del poeta, a
ien se dedican estos
rsos.

....
Esa *cárcel* puede ser el
erpo o el mundo, pero
oca también la cárcel
al.

....
El sujeto es «el hom-
e».

▼ Destáquense, en las dos primeras estrofas, el contraste entre *cielo* y *suelo* (que
ecuentemente se enfrentan en las rimas de los poemas de Fray Luis) y los
ntimientos que tal contraste provoca en el poeta.

El hombre está entregado
al sueño, de su suerte no cuidando[67],
y, con paso callado,
el cielo, vueltas dando,
25   las horas del vivir le va hurtando.

¡Oh, despertad, mortales!
¡mirad con atención en vuestro daño[68]!
Las almas inmortales,
hechas a bien tamaño[69],
30   ¿podrán vivir de sombras y de engaño?

¡Ay, levantad los ojos
a aquesta celestial eterna esfera!
Burlaréis los antojos[70]
de aquesa lisonjera[71]
35   vida, con cuanto teme y cuanto espera.

¿Es más que un breve punto
el bajo y torpe suelo, comparado
con ese gran trasunto[72],
do vive mejorado
40   lo que es, lo que será, lo que ha pasado? [...]

¿Quién es el que esto mira
y precia[73] la bajeza de la tierra,
y no gime y suspira,
y rompe lo que encierra
45   el alma[74] y de estos bienes la destierra▼?

[67] No preocupándose de su destino.

[68] Mirad el daño que vuestra actitud os ha d causar.

[69] Tan grande.

[70] Deseos vanos.

[71] Engañosa.

[72] Imagen (el cielo e imagen del infinito, de l eternidad).

[73] Aprecia.

[74] «¿Quién no rompe l que aprisiona al alma?

||||||||||||||||||||||||||||||||||||||||||||||||||||||||||||||||||||||||||||||||||||||||||||||||||||||||||||||||||||||||||||||||||||||

▼ *Versos 11-45.* Coméntense los siguientes aspectos:
— Desarrollo del contraste entre *cielo* y *suelo:* véase qué se dice de la «morada
celeste y cómo se define la existencia terrena, especialmente en el verso 15, per
también en otros.
— Enfoque ascético o moral de estas estrofas: véase el sentido de expresione
como «mortal desatino», «sueño», etc.
—En relación con lo anterior, ¿qué valor encierran las interrogaciones y la
exclamaciones exhortativas? (Piénsese en los recursos de los sermones).
—Intensidad emocional: véanse sobre todo, pero no sólo, los versos 41-45.

> Aquí vive el contento,
> aquí reina la paz; aquí, asentado
> en rico y alto asiento,
> está el Amor sagrado,
> de glorias y deleites rodeado;   50
>
> inmensa hermosura
> aquí se muestra toda, y resplandece
> clarísima luz pura,
> que jamás anochece;
> eterna primavera aquí florece.   55

Mina o manantial (de ·cidad).

Refugios.

Secretos, recónditos ·lianismo).

> ¡Oh campos verdaderos!
> ¡oh prados con verdad frescos y amenos!
> ¡riquísimos mineros[75]!
> ¡oh deleitosos senos[76]!
> ¡repuestos[77] valles de mil bienes llenos▼!»   60

▼ *Versos 46-60.* Encierran estas tres estrofas otro hermoso «sueño» de Fray Luis. ·mpárese esta visión del cielo con los cuadros de paisaje que hemos visto en algunos los poemas anteriores. Se subrayarán ciertas palabras claves que ya nos deben ·sultar bien significativas. Resultará muy curioso confrontar este pasaje con el ·mienzo del poema **38** *(En una esperanza que salió vana),* especialmente sus versos ·15: la construcción es semejante *(aquí..., aquí...),* pero ¿qué contrastes se observan? ·n qué medida resumen estos dos pasajes antitéticos la dramática tensión vital de ·ay Luis?

SAN JUAN DE LA CRUZ

Vida y personalidad

Juan de Yepes y Álvarez nació en 1542 en Fontiveros (Ávila) de familia humilde. Realizó escasos estudios y ejerció diversos oficios (de carpintero a enfermero) hasta que ingresó en el Carmelo a los 21 años. Entonces pudo emprender estudios superiores en Salamanca (con Fray Luis entre otros). En 1567, se ordena y conoce a Santa Teresa. Como es sabido, la santa andaba fundando conventos de monjas carmelitas «descalzas» para reformar la orden en el sentido de la pobreza evangélica. San Juan se siente contagiado por tal espíritu reformador y emprenderá la fundación de conventos de frailes descalzos. Se atrae por ello la animadversión de los otros carmelitas (los «calzados»), que lo encarcelarán en Toledo (1577). Pero, al cabo de unos meses, logra escapar y emprende nuevos viajes y fundaciones. Fue nombrado prior de varios conventos, pero no se libró de otros problemas y de otro confinamiento. Murió en Úbeda (Jaén) en 1591. Fue beatificado en 1675 y proclamado santo en 1726.

Era San Juan hombre de talante adusto pero amable (alguien habló de su «dulce severidad»), fundamentalmen-te contemplativo. Junto a la intensa afectividad y la fina sensibilidad que revelan sus versos, dio prueba de sutileza y rigor intelectual (Santa Teresa dijo de él: «Es demasiado refinado: espiritualiza hasta el exceso»).

Generalidades sobre su obra

Sus obras circularon primero manuscritas y sólo se imprimieron bastante después de su muerte (Alcalá, 1618; Bruselas, 1627, etc.). Sus poesías se agrupan en dos sectores:

a) Poemas mayores: *Cántico espiritual, Noche oscura del alma* y *Llama de amor viva* (núms. **44** a **46** de esta antología). Los tres van acompañados de extensos comentarios en prosa, sobre los que luego hablare-mos.

b) Otros poemas, no siempre «menores», de los que ofrecemos tres (**47-49**). Entre los demás, hay roman-ces, canciones y glosas a la manera cancioneril (una de ellas sobre el famoso villancico *Vivo sin vivir en mí*, también glosado por Santa Teresa: n.º **53**).

Sin menoscabo de su potente originalidad, San Juan bebió de diversas fuentes doctrinales y poéticas. Ante todo, la *Biblia;* y debe citarse en especial el *Cantar de los Cantares**,

---

* Atribuido a Salomón es uno de los libros poéticos de la *Biblia,* hermosísimo canto de amor humano al que la tradición eclesiástica asigna un alcance teológico (el Esposo sería Cristo y la Esposa el pueblo de Dios).

que le proporcionó el diseño general del *Cántico* junto a numerosas imágenes. Leyó abundante literatura doctrinal, de los santos padres a sus contemporáneos (Santa Teresa, Fray Luis), pasando por San Francisco de Asís o por los neoplatónicos. En lo poético, se nutre tanto de poesía tradicional como italianizante. Es decisiva la huella de Garcilaso, en particular a ejemplo de cierta versión de sus poesías «a lo divino» (la costumbre de retocar poemas profanos para darles un sentido religioso venía de atrás: recuérdese el poema **17** de este libro).

En este sentido —y en el sentido más hondo— San Juan es un «poeta a lo divino» que parte de realidades muy humanas, como veremos.

La experiencia mística

En San Juan, experiencia mística y creación poética son inseparables. Comencemos recordando algunos conceptos doctrinales. El poeta comparte con otros místicos la idea de las tres *vías*. Reciben este nombre las tres *etapas* siguientes del camino hacia Dios:

a) Vía purgativa. Proceso duro y áspero en que el alma se desprende de las ataduras mundanas.

b) Vía iluminativa. Tras la purificación, viene una «luz» especial o contemplación de Dios y sus misterios.

c) Vía unitiva. Es el éxtasis o «matrimonio espiritual», culminación del proceso místico: el alma, arrebatada por Dios, se une o funde totalmente con Él.

Dentro de este marco, es original de San Juan la doctrina de *la Noche*. Es un símbolo de la vía purgativa y se divide, a su vez, en dos.

a) *Noche del sentido.* El hombre pierde sus apetencias a la vez que Dios le oscurece los sentidos. Se produce así un estado de «sequedad y vacío». «Se va perdidos en el camino», dice San Juan, «pues no se halla ánimo y gusto en cosa buena».

b) *Noche del espíritu.* El entendimiento, la memoria y la voluntad se ven privados de todos sus objetos y apetencias. No se sabe nada, no se desea nada; se llega a «no poder levantar el afecto y la mente a Dios». Ningún consuelo llega al alma. «Es un penar y padecer sin consuelo de cierta esperanza...».

Es, como se ve, un auténtico estado «depresivo» (terrible prueba, según San Juan, a que Dios somete al alma). A través de esa *noche,* sólo la *luz* de la fe y la *llama* del amor pueden servir de guía. Y así se avanzará hacia la «albora-da» y, finalmente, hasta la «unión».

Éstas son algunas de las ideas centrales de la poesía de San Juan de la Cruz.

Creación poética

Sus grandes poemas son inseparables, en efecto, de sus experiencias místicas, pues —en parte— han sido com-puestos en esos momentos de arrebato, de frenesí amoro-so, y —en parte— son como el «relato» de ese «viaje» aún reciente. Lo que suele llamarse «inspiración» tiene aquí, pues, un carácter muy especial.

Pero ello no impide que, aun en los momentos de arrobo, acudan a la pluma todas las lecturas y conocimientos del autor, aunque sometidas al soplo de esa inspiración parti-cular.

En seguida veremos qué consecuencias tiene, para el estilo, este proceso en que el místico se ve llevado a «expresar lo inexpresable». Por lo pronto, en el campo de la temática, esa dificultad es la que le hace acudir al *amor* humano para dar idea de sus experiencias espirituales (ya hemos indicado cuáles fueron sus modelos en esto, desde el *Cantar de los Cantares*).

Y toda la poesía de San Juan es poesía de amor (o de Amor). Leídos con ojos estrictamente humanos, sus versos recogen todas las peripecias de la experiencia amorosa, de las más torturadoras a las más gozosas, de las más delicadas y tiernas a las más intensas y ardientes. Acaso nadie ha dado una definición más bella del amor como él: «El amor es llama que arde con apetito de arder más». Y bien puede decirse que nunca se ha cantado el amor —y en especial la total entrega— con tanta hondura, con tanta exaltación, con tanta belleza.

Anticipemos brevísimamente algún otro aspecto que acompaña al amor en sus poemas. Así, los *elementos pastoriles y bucólicos,* que tomó de Garcilaso y otros (el alma será una pastora o aldeana). Y a ello se asocian las visiones de *paisaje.* Debe destacarse la finísima sensibilidad de San Juan ante la *naturaleza,* cuya belleza —por otra parte— es reflejo de la belleza de Dios y a Él conduce (neoplato-nismo).

Poemas y comentarios en prosa

Como hemos dicho, San Juan escribió varios tratados para explicar sus grandes poemas, casi palabra por palabra. ¿Debemos guiarnos por tales comentarios? El mismo poeta —con ejemplar sinceridad— nos advirtió sobre el valor relativo de sus interpretaciones. Véanse

unas líneas pertenecientes al prólogo del tratado sobre el
Cántico espiritual:

> Por haberse, pues, estas canciones compuesto en
> amor de abundante inteligencia mística, *no se podrán
> declarar al justo**, ni mi intento será tal, sino sólo dar
> alguna luz general... Y esto tengo por mejor, pues *los
> dichos del amor es mejor dejarlos en su anchura...*

O sea, que el mismo poeta no estaba seguro de cuál
podría ser el sentido de algunas de las insólitas expresiones forjadas por él en los singulares momentos de la
creación. ¿Por qué se esfuerza, entonces, por explicarlas?
Sin duda, por dos razones: por vocación pastoral y, a la
vez, para defenderse de ciertas interpretaciones malinten-
cionadas. Pero en el mismo texto, insiste en que «no hay
para qué atarse a la declaración» (esto es, al «comentario»). Y nos dice que, al igual que «amamos a Dios sin
entenderle», su poesía «no ha menester distintamente**
entenderse para hacer efecto de amor y afición en el alma».

En suma —y según el propio autor—, lo esencial son los
poemas y el efecto que son capaces de producir por sí
mismos en el lector. No nos importe, pues, si hay en ellos
cosas que escapan a nuestra razón.

Con todo, sería un desacierto prescindir totalmente de sus
comentarios. Junto a explicaciones forzadas, habrá muchas que se nos imponen por su coherencia (véanse
nuestras notas al pie del *Cántico*). En conjunto, es un
esfuerzo de «interpretación simbólica de textos» que no
deja de tener cierta modernidad. Por lo demás, su prosa
—austera y densa en general— ofrece análisis asombro-
sos de estados de ánimo, frases de luminosa hondura y
súbitos chispazos de lirismo.

---

* No se podrán explicar con precisión.
** Claramente.

La lengua poética

«Expresar lo inexpresable», se ha dicho, es la empresa del poeta místico. El mismo San Juan habló así de la insuficiencia del lenguaje: «¿Quién podrá escribir lo que a las almas amorosas, donde Él mora, hace entender?... Nadie lo puede. Cierto, ni ellas mismas».

Paradójicamente, de esa «imposibilidad» nace el carácter esencialmente *poético* del lenguaje místico, pues se impone el salirse del lenguaje ordinario: «No pudiendo el Espíritu Santo dar a entender la abundancia de su sentido por términos vulgares y usados, habla misterios en extrañas figuras y semejanzas».

Esas «figuras y semejanzas» son las *imágenes, símiles, metáforas* y *símbolos,* bases del estilo de San Juan. No ponderaremos su audacia o su belleza: remitimos a texto y notas. Propio también de su lucha con el lenguaje es el uso de *antítesis* y *paradojas.*

En otro terreno, es sorprendente cómo la *andadura de la frase* se ajusta en cada momento a la índole de las vivencias: así, es ora fatigosa (vía purgativa), ora exaltada (vía iluminativa), ora sosegada (paz tras la unión). Lo mismo observaríamos en la *métrica;* de la *lira,* en particular, saca nuestro poeta todas las modulaciones rítmicas posibles.

Dejamos los detalles para las notas del texto. En conjunto, lo más definitorio del estilo de San Juan sería, ante todo, su *intensidad afectiva,* que llega a la vehemencia, a la embriaguez, al arrebato. Pero, por otro lado, está una impresión de frescura, de transparencia, de inmarcesible belleza que tan difícil es de explicar.

En los momentos más altos, la expresión se hace insólita, enigmática, alucinada, con hallazgos increíbles. El mismo santo admite que ciertas expresiones suyas «antes parecen dislates que dichos puestos en razón». Y es que, como sabemos, están más allá de la razón. (No falta quien haya señalado —con dudoso acierto— afinidades con la expresión *surrealista*).

Significación

San Juan de la Cruz es, por supuesto, una figura cimera de la literatura religiosa de nuestro Siglo de Oro y de la mística universal. Pero la admiración por el poeta es compartida, desde los ángulos ideológicos más diversos, por la riqueza de lecturas a que se prestan sus versos. Desde un punto de vista estrictamente literario, amparándonos en el juicio de muchos críticos, no ha de temerse el situar su obra —y especialmente el *Cántico*— en la más alta cumbre de la poesía española de todos los tiempos.

44

CÁNTICO ESPIRITUAL▼

ESPOSA¹

. . . .
Esposa tiene aquí el sentido antiguo de «prometida».

1
¿Adónde te escondiste,
Amado, y me dejaste con gemido?
Como el ciervo huiste,
habiéndome herido;
salí tras ti clamando, y eras ido.   5

▼ Existen dos versiones del Cántico: la primera, terminada en 1584, es fruto directo de las singulares experiencias del autor; posteriormente, San Juan ordenó las strofas y los comentarios de otro modo, llevado por ciertas reflexiones doctrinales o tal vez por consejos o críticas. Tampoco falta quien piensa que la nueva versión no se debe enteramente al autor. No cabe entrar aquí en estos problemas. Lo indudable es la autenticidad, la espontaneidad y hasta la superior coherencia poética de la versión original, que es la que ofrecemos.

2   Pastores los que fuerdes[2]
         allá por las majadas[3] al otero,
         si por ventura vierdes[4]
         Aquel que yo más quiero,
10   decidle que adolezco[5], peno y muero.

3   Buscando mis amores,
         iré por esos montes y riberas,
         ni cogeré las flores,
         ni temeré las fieras,
15   y pasaré los fuertes y fronteras▼.

[2] Fuereis, fuerais.

[3] Lugar donde se recoge el ganado, redil.

[4] Viereis, vierais.

[5] Padezco.

||||||||||||||||||||||||||||||||||||||||||||||||||||||||||||||||||||||||||||||||||||||||||||||||||||||||||||||||||||||||||||||||||||||||||||||||||||||||||||||

▼ Arranca el poema con la expresión del dolor (la herida) por la ausencia del ser amado y la vehemente decisión de ir en su busca. Son temas corrientes de la poesía amorosa. Adviértanse las notas de ambiente pastoril. Valórese desde ahora el tono intenso, apasionado.

[Así, entre corchetes, añadiremos algunos detalles tomados de los comentarios en prosa del propio autor, que nos han parecido interesantes o curiosos. Sobre la *estrofa* *3.ª*, por ejemplo, comenta que el alma «no quiere dejar de hacer alguna diligencia»; así «ha de ir ejercitándose en las virtudes» y «no ha de admitir deleites»; pero tampoco le darán miedo ni la detendrán «las fuerzas del mal» ni las dificultades. Compárense estas «aclaraciones» con los versos correspondientes (11-15). No se olvide que este comienzo refleja las penalidades y esfuerzos del alma en la *vía purgativa*.]

Pregunta a las criaturas

4   ¡Oh, bosques y espesuras,
plantadas por la mano del Amado!
¡Oh, prado de verduras,
de flores esmaltado,
decid si por vosotros ha pasado!   20

Respuesta de las criaturas

5   Mil gracias derramando,
pasó con estos sotos[6] con presura,
y yéndolos mirando,
con sola su figura
vestidos los dejó de hermosura[▼].   25

. . . .
[5] Terreno poblado de árboles y matas.

[▼] Como Fray Luis, el autor del *Cántico* se acoge a la idea platónica de que la belleza del mundo nos conduce hacia la fuente de toda belleza. [Así, el alma va «del conocimiento de las criaturas al conocimiento de su Amado, criador de ellas». Es el principio del «camino espiritual para ir conociendo a Dios». Y las criaturas responden: «en ellas dejó rastro de quién Él era, no sólo dándoles el ser de la nada, más aún... hermoseándolas».]

ESPOSA

6   ¡Ay! ¿quién podrá sanarme?
          Acaba de entregarte ya de vero[7];   [7] De veras.
          no quieras enviarme
          de hoy más ya mensajero,
30   que no saben decirme lo que quiero.

7   Y todos cuantos vagan,
          de ti me van mil gracias refiriendo,
          y todos más me llagan,
          y déjame muriendo
35   un no sé qué que quedan balbuciendo▼.

8   Mas, ¿cómo perseveras,
          oh, vida, no viviendo donde vives,
          y haciendo porque mueras,
          las flechas que recibes,
40   de lo que del Amado en ti concibes?

9   ¿Por qué, pues has llagado
          aqueste corazón, no le sanaste?

▼ Las ansias de la amada aumentan; destáquense palabras como *llagan, muriendo* típicas del lenguaje amoroso. Dámaso Alonso señaló el oportunísimo efecto de «tartamudeo expresivo» del verso 35: «un no se *qué que que*dan balbuciendo».
[En la *estrofa 6.ª*, tras la respuesta de las criaturas, al alma «aumentósele el amor y por consiguiente, le creció el dolor de la ausencia», y suplica al amado que «le entregue posesión de su presencia», sin intermediarios. *La estrofa 7.ª* habla de varias «maneras de penar» («llaga», «muerte»); el alma entrevé «una inmensidad admirable» que «se le descubre sin acabársele de descubrir» (el *no sé qué*), y «vive muriendo hasta que, matándola el amor, la haga vivir vida de amor, transformándola en amor». Nótese la intensidad y belleza de estas paradójicas palabras.]

Y pues me le has robado,
¿por qué así lo dejaste,
y no tomas el robo que robaste▼?   45

10   Apaga mis enojos,
pues que ninguno basta a deshacellos,
y véante mis ojos,
pues eres lumbre dellos,
y sólo para tí quiero tenellos.   50

10bis   Descubre tu presencia,
y máteme tu vista y hermosura;
mira que la dolencia
de amor, que no se cura
sino con la presencia y la figura.   55

11   ¡Oh, cristalina fuente,
si en esos tus semblantes plateados,
formases de repente
los ojos deseados,
que tengo en mis entrañas dibujados▼▼!   60

▼ Las estrofas 8.ª y 9.ª insisten en la exposición de las paradojas sobre el vivir y el morir. [En la 8.ª, el alma «quéjase de la duración de la vida corporal» y se pregunta cómo no muere con las «heridas de amor» *(flechas)* que recibe.] En la 9.ª, se reitera la imagen de la herida y se añade el tema —también tradicional— del robo del corazón, en una pregunta apasionada y bellísima. [La amada muestra aquí, según dice san Juan, un «amor impaciente».]

▼▼ La estrofa *10.*^{bis} no estaba en la primera versión del *Cántico,* pero encaja perfectamente con la *10* y la *11:* las tres hablan del ansia de contemplación del amado. En las tres hay expresiones muy cargadas de afectividad: señálense.
[En la *10.*^{bis}, la amada —«deseando verse poseída»— pide al amado que se muestre «y que la mate con esta vista, desatándola de la carne»; su «dolencia» —le dice— sólo se remedia con la «gloriosa vista de su divina esencia». La *cristalina fuente* de la *estrofa 11* sería símbolo de la fe, según el comentario en prosa (así «diviniza» San Juan lo que, en la poesía amorosa, era un lugar de encuentro de los enamorados).]

ESPOSO

12   Apártalos, Amado,
         que voy de vuelo.

65   Vuélvete, paloma,
         que el ciervo vulnerado[8]   [8] Herido.
         por el otero asoma,
         al aire de tu vuelo, y fresco toma▼.

ESPOSA

13   Mi Amado, las montañas,
70   los valles solitarios nemorosos[9],   [9] Cubiertos de bosques.
         las ínsulas extrañas,
         los ríos sonoros,
         el silbo de los aires amorosos;

||||||||||||||||||||||||||||||||||||||||||||||||||||||||||||||||||||||||||||||||||||||||||||||||||||||||||||||||||||||||||||||||||||

▼ Estrofa esencial: es el momento del encuentro, con su *vuelo* (éxtasis), con las
palabras cargadas de ternura... Los símbolos se hacen más enigmáticos. [Véase cómo
intenta explicarlos San Juan. «Descubrióle el amado algunos rayos de su grandeza y
divinidad», lo cual «la hizo salir por arrobamiento y éxtasis». La primera reacción e
de «temor», y el alma, «no pudiendo sufrir el exceso», pide al amado que aparte
aquellos ojos cegadores; y «le parecía que volaba». Responde el esposo: «Vuélvete a
mí, que soy a quien tú, llagada de amor, buscas». Y añade: «Yo, como el ciervo, herido
de tu amor, comienzo a mostrarme a ti...». (Nótese que a la herida de la amada
corresponde ahora la del amado). El *aire de tu vuelo* sería el «espíritu de amor» que
motiva el «éxtasis». Y «este aire de amor refrigera y recrea» *(fresco toma)*.]

14   la noche sosegada
en par de los levantes de la aurora[10],
la música callada,
la soledad sonora,
la cena, que recrea y enamora▼.   75

15   Nuestro lecho florido,
de cuevas de leones enlazado,
en púrpura tendido,
de paz edificado,
de mil escudos de oro coronado▼▼.   80

16   A zaga de tu huella[11],
las jóvenes discurren al camino,
al toque de centella,
al adobado vino,
emisiones de bálsamo divino.   85

Nota marginal izquierda, junto a estrofa 14:
[10] Próxima ya al amanecer.

Nota marginal izquierda, junto a estrofa 16:
[11] Siguiendo tu huella.

||||||||||||||||||||||||||||||||||||||||||||||||||||||||||||||||||||||||||||||||||||||||||||||||||||||||||||||||||||||

▼ En estas dos bellísimas estrofas, estalla de forma encendida, entusiástica, la embriaguez del transporte amoroso. Es una larga y vibrante frase nominal (sin verbo) que identifica al amado con el universo, a través de una enumeración deslumbrante, cargada de sugerencias por encima de la lógica. [Se ha producido ya la «unión de amor» o «desposorio espiritual», precisa San Juan en su comentario. El alma ha penetrado en el «pecho de Dios» y «conoce allí... todas las grandezas que puede gustar»; y «cada una de estas grandezas que se dicen es Dios y todas ellas juntas son Dios». Dicho con otras palabras: el alma, unida a Dios, «siente ser todas las cosas Dios». El autor habla también de un «exceso» de saber y dicha, y cita de paso esta exclamación de San Francisco: «¡Dios mío, y todas las cosas!» A continuación, propone una interpretación pormenorizada de todas las realidades enumeradas. Pero aquí es verdaderamente preferible no restringir las sugerencias de los símbolos, sino dejarlos... «en su anchura».]

▼▼ Como puede verse, a medida que avanzamos, son más las imágenes que nos asombran. Imágenes alucinadas como la de ese *lecho florido/de cuevas de leones enlazado,* etc. Y estamos también ante una frase nominal, tal vez enlazada con la de las dos estrofas anteriores y, como ella, pura efusión de embriaguez afectiva. [En su comentario, San Juan se esfuerza por hallar un sentido «lógico» a estos versos: El alma —dice— «canta el feliz y alto estado en que se ve puesta», «el deleite que goza en la unión» *(lecho florido).* Las *cuevas de leones* serían símbolo de virtudes como la seguridad y la fortaleza; la *púrpura* sería la caridad, el amor; los *escudos de oro,* las «virtudes y dones del alma».]

17   En la interior bodega
            de mi amado bebí, y cuando salía
            por toda aquesta vega,
            ya cosa no sabía,
90   y el ganado perdí, que antes seguía.

18   Allí me dio su pecho,
            allí me enseñó ciencia muy sabrosa,
            y yo le di de hecho
            a mí sin dejar cosa;
95   allí le prometí de ser su esposa▾.

19   Mi alma se ha empleado,
            y todo mi caudal en su servicio;
            ya no guardo ganado,
            ni ya tengo otro oficio,
100   que ya sólo en amar es mi ejercicio.

▾ La *estrofa 16* —refiriéndose a la seducción que el amado ejerce sobre *las jóvenes* — parece romper el hilo de las anteriores, pero la alusión al *adobado vino* vuelve a llevarnos al tema de la embriaguez amorosa, que da origen a intensos símbolos de olvido, enajenamiento y entrega total en las *estrofas 17 y 18*. [En la *estrofa 16*, las *jóvene* serían «las almas devotas»; *el toque de centella* es el toque que «enciende el corazón en fuego de amor»; y el *bálsamo divino* es lo que conforta el alma. La *estrofa 17* se refiere de lleno a «la unión y transformación de amor en Dios». La *interior bodega* es, en efecto, «el último y más estrecho grado de amor». Y sus efectos son «el olvido... de todas las cosas del mundo» (versos 88 y 89) y la «mortificación de sus apetitos y gustos» (verso 90). La *estrofa 18* contiene de modo transparente «la entrega que hubo de ambas partes».]

² Tierras comunales de
un pueblo.

20   Pues ya si en el ejido[12],
de hoy más no fuere vista ni hallada,
diréis que me he perdido,
que andando enamorada,
me hice perdidiza y fui ganada▼.   105

21   De flores y esmeraldas,
en las frescas mañanas escogidas,
haremos las guirnaldas,
en tu amor florecidas,
y en un cabello mío entretejidas   110

22   En solo aquel cabello,
que en mi cuello volar consideraste;
mirástele en mi cuello,
y en él preso quedaste,
y en uno de mis ojos te llagaste▼▼.   115

◄||||||||||||||||||||||||||||||||||||||||||||||||||||||||||||||||||||||||||||||||||||||||||||||||||||||||||||||||||||||||||||||||||||

▼ En las *estrofas 19 y 20* sigue expresando la amada su entrega y su olvido de todo lo que no sean sus relaciones amorosas. La nueva referencia al *ganado* y la alusión al *ejido* vuelven a situarnos en un ambiente pastoril o aldeano. Subráyese la belleza de los versos 104-105, con otra sutil paradoja. [«Todo es ejercicio de amor», comenta San Juan. El alma «ni se anda tras sus gustos ni tampoco se ocupa en otras cosas»; se ha perdido al mundo *(el ejido)*, porque «ella misma se quiso perder, andando buscando a su Amado».]

▼▼ En estas liras y las siguientes la amada se recrea en su felicidad: hace proposiciones ilusionadas, recuerda momentos gozosos, lanza algún tierno ruego, conjura los peligros que podrían amenazar a su amor... Empecemos por las *estrofas 21 y 22*, con sus elementos de fino lirismo *(flores y esmeraldas, guirnaldas, frescas mañanas, cabello, cuello...)*. Y notemos que el Esposo ha quedado *preso* de los encantos de la amada, como en tantos poemas amorosos profanos... [Esas *guirnaldas* bien pueden simbolizar el goce de virtudes «hermoseadas... en el amor que tiene él a ella». El *cabello* sería la «voluntad de ella y amor que tiene al Amado». Y así, el comentario de la estrofa 22 añade que «Dios se prendó mucho de este su cabello de amor» y estrechamente se enamoró de ella, viendo la pureza y entereza de su fe» *(uno de mis ojos...).*]

23   Cuando tú me mirabas,
tu gracia en mí tus ojos imprimían;
por eso me adamabas[13],
y en eso merecían
los míos adorar lo que en ti vían.

120

[13] Me amabas con vehemencia.

24   No quieras despreciarme,
que si color moreno en mí hallaste,
ya bien puedes mirarme,
después que me miraste,
que gracia y hermosura en mí dejaste▼.   125

25   Cogednos las raposas,
que está ya florecida nuestra viña,
en tanto que de rosas
hacemos una piña,
y no parezca nadie en la montiña.   130

[14] Viento del Norte.   **26**   Detente, cierzo[14] muerto;
[15] Viento del Sur.   ven, austro[15], que recuerdas los amores;
aspira por mi huerto,
y corran sus olores,
y pacerá el Amado entre las flores▼▼.   135

|||||||||||||||||||||||||||||||||||||||||||||||||||||||||||||||||||||||||||||||||||||||||||||||||||||||||||||||||||||||||||||||||||||||||||||||||||||||||||||

▼ En las *estrofas 23 y 24* la idea central es la de que la belleza de la amada viene de la mirada del amado. De nuevo estamos ante la concepción neoplatónica (anticipada desde la *estrofa* 5.ª) de una fuente suprema de belleza y de amor. [Sobre la *estrofa 24*, San Juan explica que el *color moreno* representa las «culpas e imperfecciones» del alma en su «condición natural». Pero —«después que él la miró»— la «vistió con su hermosura».]

▼▼ Concluye este largo parlamento de la esposa con unas invocaciones o conjuros para alejar los peligros o los enemigos del amor. La *viña* o el *huerto* son símbolos de la gozosa intimidad de los amantes. El *Cantar de los Cantares* ya hablaba de «las raposillas... que causan estragos en las viñas». [Según el sentido místico, el alma «invoca a los ángeles» para que cacen a los «demonios» y a los «apetitos». El verso 130 alude a la «soledad necesaria» de los enamorados (el *nadie* se referiría a la «porción inferior» del hombre, la sensitiva). En cuanto a la *estrofa 26*, «el cierzo es un viento que seca y marchita las flores y plantas», mientras que el austro es un «aire apacible» que «hace germinar las hierbas y plantas, y abrir las flores». Se rechaza, pues, la «sequedad» de corazón, y se invoca «al Espíritu Santo» para que esparza sus dones *(sus flores)* y venga a deleitarse el amado en el alma «florecida» de virtudes.]

ESPOSO

27   Entrado se ha la Esposa
          en el ameno huerto deseado,
          y a su sabor reposa,
          el cuello reclinado
140   sobre los dulces brazos del Amado.

28   Debajo del manzano,
          allí conmigo fuíste desposada,
          allí te di la mano,
          y fuíste reparada,
145   donde tu madre fuera violada▼.

||||||||||||||||||||||||||||||||||||||||||||||||||||||||||||||||||||||||||||||||||||||||||||||||||||||||||||||||||||||||||||||||||||||||||||||||||||||||

▼ Habla el Esposo. La *estrofa 27* enlaza con la anterior mediante la referencia a
huerto y expresa delicadamente el dulce estado de la amada tras la íntima entrega
amorosa. En cambio, la *estrofa 28* sería de difícil interpretación si se prescindiera del
sentido espiritual. [Según San Juan, los versos 141-45 aluden al pecado original y a la
redención: el *manzano* pasa de ser el «árbol vedado en el paraíso» a representar el
«árbol de la Cruz» (véase el poema n.º **48**).]

29   A las aves ligeras,
        leones, ciervos, gamos saltadores,
        montes, valles, riberas,
        aguas, aires, ardores,
        y miedos de las noches veladores: 150

30   Por las amenas liras
        y canto de sirenas os conjuro
        que cesen vuestras iras
        y no toquéis al muro,
        porque la Esposa duerma más seguro▼.   155

‖‖

▼ Es ahora el Esposo el que prorrumpe en invocaciones o conjuros, paralelos a los
de las estrofas 25-26. La enumeración de los versos 146 y siguientes recuerda, en
parte, a la de las estrofas 13 y 14 por su amplitud «cósmica»: se invoca ahora a todo un
universo para que no turbe la paz de la amada dormida. [Esas criaturas interpeladas
serían, según el comentario, los «apetitos», «pasiones» y «turbaciones». Y el Esposo las
conjura en nombre de su deleite *(liras, sirenas)* a que se aparten del *muro* o «vallado de
paz» que rodea el alma, a fin de que ésta «se deleite de la quietud y suavidad que goza
en el Amado».]

ESPOSA

31   ¡Oh, ninfas de Judea!
        En tanto que en las flores y rosales
        el ámbar perfumea,
        morá[16] en los arrabales,   [16] Morad.
160   y no queráis tocar nuestros umbrales.

32   Escóndete, carillo[17],   [17] Querido, cariño.
        y mira con tu haz[18] a las montañas,   [18] Faz, cara.
        y no quieras decillo;
        mas mira las compañas[19]   [19] Compañeras.
165   de la que va por ínsulas extrañas▼.

||||||||||||||||||||||||||||||||||||||||||||||||||||||||||||||||||||||||||||||||||||||||||||||||||||||||||||||||||||||

▼ Ahora es la Esposa quien aleja a otras criaturas que parecen entorpecer el amor. Y luego se dirige a su *carillo* con enigmáticas palabras. [*31*. Las *ninfas de Judea*, expresión en que se funden ecos paganos y judíos, representan a la sensualidad, que debe mantenerse apartada *(en los arrabales)* sin perturbar el puro goce espiritual, que sigue simbolizado por flores y aromas; el *ámbar* sería «el divino espíritu del Esposo que mora en el alma». *32*. Es «como si dijera: Querido Esposo mío, recógete en lo más interior de mi alma...». Lo demás es explicado (?) así: «La *haz* de Dios es la divinidad y las *montañas* las potencias del alma; y *no quieras decillo* sería pedir que el amado no se comunicara a los sentidos, incapaces de comprender algo tan profundo, sino sólo a fondo del alma; *las compañas* son las «riquezas espirituales que él ha puesto ya en ella; y *las ínsulas extrañas* son las «vías extrañas», sobrenaturales, por las que el alma va con Dios.] En casos como éste es especialmente perceptible el voluntarioso esfuerzo del autor por dar sentido coherente a sus alucinados versos.

ESPOSO

33   La blanca palomica
al arca con el ramo se ha tornado,
y ya la tortolica
al socio deseado
en las riberas verdes ha hallado.   170

34   En soledad vivía,
y en soledad ha puesto ya su nido,
y en soledad la guía
a solas su querido,
también en soledad de amor herido▼.   175

ESPOSA

35   Gocémonos, Amado,
y vámonos a ver en tu hermosura
al monte o al collado,
do mana el agua pura;
entremos más adentro en la espesura.   180

||||||||||||||||||||||||||||||||||||||||||||||||||||||||||||||||||||||||||||||||||||||||||||||||||||||||||||||||||||||||||||||||||||||||||||||||||||||||||||||||||

▼ Aunque las ediciones suelen atribuir estas palabras al Esposo, más bien parecen propias de un narrador. En la *estrofa 33* la amada aparece simbolizada por la *palomica* (cfr. antes: verso 62) y la *tortolica,* como en ciertos romances o cancioncillas populares. Nótese lo delicado de los diminutivos. En la *estrofa 34,* hay que destacar la repetición de *soledad* y el *a solas,* que dan a estos versos una intensa impresión de intimidad amorosa. Y la correspondencia amorosa, de nuevo simbolizada por la mutua *herida,* aparece en el bellísimo verso final.

[El *arca* del verso 167 es «el pecho de su Criador», donde se entra el alma con «el ramo de oliva», que es «la paz conseguida». En los versos que siguen, «canta la buena dicha que ha tenido de hallar a su Esposo» y «da a entender el cumplimiento de los deseos suyos». Del comentario a la *estrofa 34* destacaremos que Dios guía al alma *también en soledad,* es decir, «sin otros medios ni de ángeles ni de hombres» (es, pues, una unión íntima, sin intermediarios o *mensajeros* a que aludía la estrofa 6.ª).]

36   Y luego a las subidas
cavernas de la piedra nos iremos,
que están bien escondidas,
y allí nos entraremos,
185   y el mosto de granadas gustaremos.

37   Allí me mostrarías
aquello que mi alma pretendía,
y luego me darías
allí tú, vida mía,
190   aquello que me diste el otro día▼.

38   El aspirar del aire,
el canto de la dulce filomena[20],
el soto[21] y su donaire[22],
en la noche serena,
195   con llama que consume y no da pena.

[20] Ruiseñor.

[21] Cfr. nota 6.

[22] Belleza.

||||||||||||||||||||||||||||||||||||||||||||||||||||||||||||||||||||||||||||||||||||||||||||||||||||||||||||||||||||||||||||||||||||||||||||||||||||||||||||||||

▼ El apasionamiento vuelve a caracterizar las palabras de la Amada. Se notarán las nuevas referencias campestres y se subrayarán las bellas imágenes de intimidad, de goce, de embriaguez *(el mosto de granadas)* y la intensidad afectiva de la estrofa 37, con sus frases tan alusivas. [En la *estrofa 35,* pide tres cosas: «La primera, querer recibir el gozo y sabor del amor» (v. 176); «la segunda es desear hacerse semejante al Amado» (v. 177), «y la tercera es escudriñar y saber las cosas y secretos del mismo Amado» (v. 180). *Estrofa 36:* ascensión hacia «los subidos misterios de Dios y hombre.. escondidos en Dios». Las *granadas* son los «misterios de Cristo» y el *mosto* es «la fruición y deleite de amor». *Estrofa 37:* el alma quiere «llegar a la consumación del amor de Dios» y alcanzar «la gloria esencial para que él la predestinó desde el día de su eternidad».]

3 Nombre que se da al
emonio, por un error de
aducción de la *Vulga-*
a.

39   Que nadie lo miraba,
            Aminadab[23] tampoco parecía,
            y el cerco sosegaba,
            y la caballería
            a vista de las aguas descendía▼.   200

▼ El tono se remansa, alcanza una inigualable serenidad en las dos estrofas finales
ótense las pausas y la andadura sosegada de las frases). Al intenso lirismo de la *estrofa*
* —delicia del momento y del marco— suceden los enigmáticos versos últimos; en
os, sorprenden las referencias guerreras: el *cerco* (al asedio o sitio) y la *caballería.*
nal bellísimo. Y misterioso, pese a las explicaciones que nos propuso el poeta. [La
rofa 38 detalla, con símbolos, lo que la amada recuerda y desea: «el amor» (v. 191),
ı jubilación» o el sumo deleite que produce «la dulce voz de su Amado» (v. 192), «el
nocimiento de las criaturas y de la ordenación de ellas» (v. 193), «la contempla-
ón... secreta y escondida» (v. 194); en suma, «el amor del Espíritu Santo» (v. 195). En
estrofa final, aparte la referencia al demonio —«vencido y ahuyentado»—, había
ıe entender que «ya están sujetadas las pasiones» *(el cerco);* ya están «los sentidos
rporales» *(la caballería)* orientados hacia «los bienes y deleites espirituales» *(las
ɪas).*] Una vez más, es inevitable señalar la distancia entre el lenguaje poético y el co-
entario.

45

NOCHE OSCURA DEL ALMA

1   En una noche oscura,
con ansias, en amores inflamada,
¡oh dichosa ventura!,
salí sin ser notada,
5   estando ya mi casa sosegada.

2   A oscuras y segura,
por la secreta escala, disfrazada,
¡oh dichosa ventura!,
a oscuras y en celada[24],
10   estando ya mi casa sosegada.

3   En la noche dichosa,
en secreto, que nadie me veía,
ni yo miraba cosa,
sin otra luz y guía
15   sino la que en el corazón ardía.

4   Aquesta me guiaba
más cierto que la luz del mediodía
a donde me esperaba
quien yo bien me sabía,
20   en parte donde nadie parecía[25].

5   ¡Oh noche, que guiaste!
¡Oh noche amable más que la alborada!
¡Oh noche que juntaste
Amado con amada,
25   amada en el Amado transformada!

6   En mi pecho florido,
que entero para él solo se guardaba,
allí quedó dormido,
y yo le regalaba[26],
30   y el ventalle[27] de cedros aire daba.

[24] A escondidas.

[25] Donde no había nadie.

[26] Acariciaba.

[27] Abanico (las ramas de los cedros abanican a los amantes).

7   El aire de la almena,
cuando yo sus cabellos esparcía,
con su mano serena
en mi cuello hería[28],
y todos mis sentidos suspendía.   35

8   Quedéme y olvidéme,
el rostro recliné sobre el Amado;
cesó todo, y dejéme,
dejando mi cuidado
entre las azucenas olvidado▾.   40

▾ Compuesto tal vez en la prisión de Toledo o tal vez al poco de salir (1578), este
espléndido poema dio también origen a una extensa «declaración» y tratado doctrinal
(Noche oscura de la subida del Monte Carmelo). El texto no presenta tantas dificultades
como el Cántico y proponemos un comentario.

COMENTARIO 5 («Noche oscura del alma»)

▬ *Enuncia con la mayor brevedad el tema y el sentido (o sentidos) del texto.*

▬ *En cuanto a su estructura interna, pueden reconocerse las tres etapas o vías de* *proceso místico: intenta distinguirlas.*

▬ *¿Podrías precisar qué sentido tiene la* Noche *para San Juan de la Cruz?*

▬ *En las tres primeras liras, notarás varias reiteraciones; su construcción sintáctica e* *compleja y nos impone un ritmo cortado, algo así como un avance lento y penoso* *Precísalo y trata de indicar si todo ello se adapta al contenido esencial de estas estrofas.*

▬ *En esos mismos versos destaca los detalles que te resulten más significativos* *intenta imaginar su posible sentido místico (por ejemplo: ¿qué pueden simbolizar l* casa sosegada, *la* escala, *la* luz*?). ¿Llama la atención algún verso por su sonoridad?*

▬ *¿Percibes un cambio de ritmo al llegar a la estrofa 4.ª? ¿Qué otras cosas puede* *destacar en ella?*

▬ *Estrofa 5.ª: Valor de las exclamaciones. ¿Qué concepto expresan los versos 23-25* *cómo se pone de relieve?*

▬ *Estrofas 6.ª y 7.ª: Lirismo y delicadeza de esta escena amorosa. Algunos símbolo* *nos son ya conocidos por el* Cántico espiritual: *señala su sentido.*

▬ *La estrofa final da, ante todo, una profunda impresión de paz; ¿qué ide* *prevalece?, ¿qué tipo de ritmo observas? En fin, ¿cómo explicar la belleza de estos ver* *sos?*

▬ *Conclusiones: vivencias y arte de San Juan de la Cruz.*

46
LLAMA DE AMOR VIVA

1   ¡Oh llama de amor viva,
que tiernamente hieres
de mi alma en el más profundo centro!,
pues ya no eres esquiva,
acaba ya si quieres,   5
rompe la tela[29] deste dulce encuentro.

2   ¡Oh cauterio[30] süave!
¡Oh regalada[31] llaga!
¡Oh mano blanda! ¡Oh toque delicado,
que a vida eterna sabe   10
y toda deuda paga!
Matando, muerte en vida la has trocado.

3   ¡Oh lámparas de fuego,
en cuyos resplandores
las profundas cavernas del sentido,   15
que estaba oscuro y ciego,
con extraños primores
calor y luz dan junto a su querido!

4   ¡Cuán manso y amoroso
recuerdas[32] en mi seno,   20
donde secretamente solo moras!
Y en tu aspirar sabroso,
de bien y gloria lleno,
¡cuán delicadamente me enamoras▼!

Alude a la valla de tela que separaba a los contendientes en un torneo.

Cauterización: acción de quemar una herida para curarla.

Deleitosa.

Despiertas.

▼ No anotaremos tan detenidamente éste ni los restantes poemas de San Juan, cuyo simbolismo es más accesible y, en muchos puntos, ya familiar. Así será en el caso presente.
— Dígase a qué momento del proceso místico se refiere el poema.
— ¿Qué significan cosas como *llama, llaga, lámparas, aspirar...?*
— Señálense algunas paradojas muy características.
— Precisemos que las *cavernas del sentido* (v. 15) serían, según el comentario del autor, «las potencias del alma», ahora «esclarecidas con calor de amor».
— La estrofa es distinta de la usada en los poemas anteriores: analícese.

47

Tras de un amoroso lance[33],
y no de esperanza falto,
volé tan alto, tan alto,
que le di a la caza alcance.

[33] Encuentro, aventura

5   Para que yo alcance diese
a aqueste lance divino,
tanto volar me convino,
que de vista me perdiese;
y, con todo, en este trance
10   en el vuelo quedé falto[34];   [34] Falto de fuerzas.
mas el amor fue tan alto,
que le di a la caza alcance.

Cuanto más alto subía,
deslumbróseme la vista,
y la más fuerte conquista   15
en oscuro se hacía;
mas por ser de amor el lance
di un ciego y oscuro salto,
y fui tan alto, tan alto,
que le di a la caza alcance.   20

Cuanto más alto llegaba
de este lance tan subido,
tanto más bajo y rendido
y abatido me hallaba;
dije: «No habrá quien alcance»;   25
y abatíme tanto, tanto,
que fui tan alto, tan alto,
que le di a la caza alcance.

Por una extraña manera
mil vuelos pasé de un vuelo,   30
porque esperanza de cielo
tanto alcanza cuanto espera;
esperé sólo este lance,
y en esperar no fui falto,
pues fui tan alto, tan alto,   35
que le di a la caza alcance ▼.

▼ La caza de cetrería —mediante halcones y otras rapaces— ya había sido
utilizada como símbolo de la aventura amorosa en ciertos poemas; basándose en uno
de ellos, San Juan, a su vez, lo convierte en símbolo del proceso místico (poesía «a lo di-
no»).
  — ¿Qué versos expresan una idea análoga a la de la *noche*?
  — ¿Qué fuerza será la que impulsa al alma a dar ese *ciego y oscuro salto* del
verso 18?
  — ¿Señala las paradojas que aparecen en la penúltima estrofa y explícalas.
  — El poeta ha usado aquí una forma métrica tradicional castellana: ¿cómo se
llama?

48

Un pastorcico solo está penado,
ajeno de placer y de contento,
y en su pastora puesto el pensamiento,
y el pecho del amor muy lastimado.

5   No llora por haberle amor llagado,
que no le pena verse así afligido,
aunque en el corazón está herido;
mas llora por pensar que está olvidado.

Que sólo de pensar que está olvidado
10   de su bella pastora, con gran pena
se deja maltratar en tierra ajena,
el pecho del amor muy lastimado.

Y dice el Pastorcico: ¡Ay, desdichado
de aquel que de mi amor ha hecho ausencia,
15   y no quiere gozar la mi presencia,
y el pecho por su amor muy lastimado!

Y a cabo de un gran rato se ha encumbrado[35]   [35] Se ha subido.
sobre un árbol do abrió sus brazos bellos,
y muerto se ha quedado, asido de ellos,
20   el pecho del amor muy lastimado▾.

▾ Es otra versión «a lo divino» de una poesía pastoril. La referencia al *árbol* (la Cruz)
de la última estrofa nos desvela su sentido religioso: ese *pastorcico* es Cristo y su *pastora*
es el alma descarriada.
    — Apréciese la intensidad afectiva de las repeticiones. ¿Cuál es ahora la estrofa
empleada?

49

Que[36] bien sé yo la fonte[37] que mana y corre,
aunque es de noche.

Aquella eterna fonte está escondida,
que bien sé yo dó tiene su manida[38],
aunque es de noche.   5

Su origen no lo sé, pues no le tiene,
mas sé que todo origen de ella viene,
aunque es de noche.

Sé que no puede ser cosa tan bella
y que cielos y tierra beben de ella,   10
aunque es de noche.

Bien sé que suelo en ella no se halla[39],
y que ninguno puede vadealla[40],
aunque es de noche.

Su claridad nunca es oscurecida,   15
y sé que toda luz de ella es venida,
aunque es de noche.

Sé ser tan caudalosas sus corrientes,
que infiernos, cielos riegan, y las gentes,
aunque es de noche.   20

El corriente que nace de esta fuente
bien sé que es tan capaz y omnipotente,
aunque es de noche.

El corriente que de estas dos procede
sé que ninguna de ellas le precede,   25
aunque es de noche.

Aquesta eterna fonte está escondida
en este vivo pan por darnos vida,
aunque es de noche.

30 Aquí se está llamando a las criaturas,
 y de esta agua se hartan, aunque a oscuras,
    aunque es de noche.

 Aquesta viva fuente, que deseo,
 en este pan de vida yo la veo,
35   *aunque es de noche*▼.

▼ Este poema suele llevar el título de *Cantar del alma que se huelga de conocer a D*
por fe. La fuente como símbolo de la fe ya aparecía en la estrofa 11 del *Cántico;* aq
además, se enlaza con el tema de la *noche.*
 — El ritmo es muy particular. El primer verso del estribillo es de 7 + 5 sílabas;
segundo, de 5; por lo demás, vemos pareados de endecasílabos. Así, ha mezclado
poeta formas propias de la versificación tradicional y de la italiana.

FLORES VARIAS DEL SIGLO XVI

JUAN BOSCÁN
(¿1492?·1542)

Nació en Barcelona y se movió en los ambientes más selectos, incluida la corte de Carlos V. Ya conocemos su entrañable amistad con Garcilaso y el papel fundamental que desempeñó en la implantación de las formas italianas entre nosotros. Pero cultivó también ampliamente los metros castellanos. Damos una muestra de cada arte. En el *Villancico* **50,** se ve la gracia y la sutileza propias de la lírica cancioneril (compárese con poesías semejantes del siglo XV). El soneto **51** —cuyo tema es la felicidad soñada— muestra hasta dónde asimiló Boscán el nuevo arte: es un hermoso poema.

50

VILLANCICO

Si no os hubiera mirado,
no penara,
pero tampoco os mirara.

Veros harto mal ha sido,
5   mas no veros peor fuera;
no quedara tan perdido,
pero mucho más perdiera.
¿Qué viera aquel que no os viera?
¿Cuál quedara,
10   señora, si no os mirara?

51

Dulce soñar y dulce congojarme,
cuando estaba soñando que soñaba;
dulce gozar con lo que me engañaba,
si un poco más durara el engañarme.

5   Dulce no estar en mí, que figurarme
podía cuanto bien yo deseaba;
dulce placer, aunque me importunaba,
que alguna vez llegaba a despertarme.

¡Oh, sueño!, ¡cuánto más leve y sabroso
10   me fueras si vinieras tan pesado,
que asentaras[1] en mí con más reposo!

Durmiendo, en fin, fui bienaventurado;
y es justo en la mentira ser dichoso
quien siempre en la verdad fue desdichado.

[1] Te instalaras.

CRISTÓBAL DE CASTILLEJO
(¿1492?·1550?)

Nació en Ciudad Rodrigo (Salamanca) y murió en Viena, donde había vivido como secretario del archiduque Fernando, hermano de Carlos V. Como es sabido, encabezó en cierto modo la reacción castellanista contra los metros italianos. Su obra variada —de temas amorosos, morales, etc.— está, en buena parte, en la línea concioneril. Sin embargo, estuvo abierto a la cultura clásica y escribió —aunque en métrica octosilábica— poemas mitológicos, como una *Historia de Píramo y Tisbe* o un *Canto de Polifemo:* en ellos, curiosamente, conviven el espíritu renacentista y las formas clásicas.

Con todo, de su obra perviven especialmente algunos de sus *romances, canciones, villancicos...,* como esta famosa —y deliciosa— glosa a un cantarcillo tradicional, *Guárdame las vacas,* de la que transcribimos unas estrofas.

52

GLOSA DE LAS VACAS

Guárdame las vacas,
carillejo, y besarte he[2];
si no, bésame tú a mí,
que yo te las guardaré.

5   En el troque que te pido,
Gil, no recibes engaño;
no te muestres tan extraño
por ser de mí requerido.
Tan ventajoso partido
10   no sé yo quien te lo dé;
si no, bésame tú a mí
que yo te las guardaré [...]

Oh, cuántos me pedirían
lo que yo te pido a ti,
15   y en alcanzarlo de mí
por dichosos se tendrían.
Toma lo que ellos querrían,
haz lo que te mandaré;
si no, mándame tú a mí,
20   que yo te las guardaré [...]

SANTA TERESA DE JESÚS
(1515-1582)

No es éste el lugar de exponer la singular personalidad de Santa Teresa, ni su importancia religiosa, ni su inmensa significación en la historia de nuestra prosa; pero tampoco podía faltar una muestra de su poesía. Y no es que su aportación a nuestra lírica sea esencial (se reduce a unas cuantas cancioncillas, villancicos, etc., de atribución no siempre segura), pero en la línea de *poesía a lo divino* ocupa un puesto ejemplar por su famosísima glosa a *Vivo sin vivir en mí.* Como es sabido, el estribillo pertenece a la lírica tradicional. Relaciónese con los poemas de Manrique o Escrivá (núms. **12** y **19** de esta antología). Y recuérdese que San Juan de la Cruz glosó igualmente este villancico.

53

VILLANCICO

Vivo sin vivir en mí,
y tan alta vida espero,
que muero porque no muero.

   Vivo ya fuera de mí,
5   después que muero de amor,
porque vivo en el Señor,
que me quiso para sí;
cuando el corazón le di
puso en mí este letrero:
10   «*Que muero porque no muero.*»

   Esta divina unïón,
y el amor con que yo vivo,
hace a mi Dios mi cautivo
y libre mi corazón;
15   y causa en mí tal pasión
ver a mi Dios prisionero,
que muero porque no muero.

   ¡Ay, qué larga es esta vida!
¡Qué duros estos destierros,
20   esta cárcel y estos hierros[3]
en que está el alma metida!
Sólo esperar la salida
me causa un dolor tan fiero,
que muero porque no muero.

25   Acaba ya de dejarme,
vida, no me seas molesta;
porque muriendo, ¿qué resta,
sino vivir y gozarme?
No dejes de consolarme,
30   muerte, que ansí te requiero:
que muero porque no muero.

[3]Cadenas y grilletes.

HERNANDO DE ACUÑA
(1518-1580)

Poeta y soldado, es una figura menor que cultivó con dignidad temas amorosos, mitológicos y heroicos. Pero siempre ha figurado en las antologías el siguiente soneto, escrito en su juventud y que es una hiperbólica, sintomática y espléndida expresión poética de la idea imperial —o monarquía universal cristiana— propia del momento.

54

AL REY NUESTRO SEÑOR

Ya se acerca, señor, o es ya llegada
la edad gloriosa en que promete el cielo
una grey y un pastor solo en el suelo,
por suerte a vuestros tiempos reservada.

5   Ya tan alto principio en tal jornada
os muestra el fin de vuestro santo celo,
y anuncia al mundo, para más consuelo,
un monarca, un imperio y una espada.

Ya el orbe de la tierra siente en parte
10   y espera en todo vuestra monarquía,
conquistada por vos en justa guerra.

Que a quien ha dado Cristo su estandarte,
dará el segundo más dichoso día
en que, vencido el mar, venza la tierra.

GUTIERRE DE CETINA
(1520-¿1557?)

Parece que nació en Sevilla, fue también soldado, marchó a América, y allí murió —según se dijo— de resultas de una aventura amorosa. El amor, cierta gracia juvenil y el jugueteo cortesano es lo que prevalece en su poesía. Dentro de esa línea se sitúa su composición más famosa y que es ineludible reproducir: se trata, sin duda, del madrigal más famoso de la literatura clásica española.

55

MADRIGAL

    Ojos claros, serenos,
si de un dulce mirar sois alabados,
¿por qué, si me miráis, miráis airados?
Si cuanto más piadosos
5   más bellos parecéis a aquel que os mira,
no me miréis con ira
porque [4] no parezcáis menos hermosos.
¡Ay, tormentos rabiosos!
Ojos claros, serenos,
10   ya que así me miráis, miradme al menos.

[4] Para que.

BALTASAR DEL ALCÁZAR
(1530-1606)

Como se habrá ido viendo, se echa de menos el humor en la poesía del siglo XVI (claro está que lo hay, y de todos los colores...). Pero no puede faltar en esta antología —ni en ninguna— esta *Cena jocosa* del sevillano Baltasar del Alcázar. Frente a las penas y gozos del amor, canta provocadoramente el placer de la buena mesa y la alegría del buen vino. Se sitúa así en una línea que inició el poeta griego Anacreonte; y, a su vez, es antecedente del Góngora de la famosa letrilla *Ande yo caliente...* Se apreciará la originalidad de tono, la fluidez coloquial y las expresiones sabrosas de estas memorables redondillas.

56

CENA JOCOSA

En Jaén, donde resido,
vive don Lope de Sosa,
y diréte, Inés, la cosa
más brava de él que has oído.

5   Tenía este caballero
un criado portugués...
Pero cenemos, Inés,
si te parece, primero.

La mesa tenemos puesta;
10   lo que se ha de cenar, junto;
las tazas y el vino, a punto;
falta comenzar la fiesta.

Rebana pan. Bueno está.
La ensaladilla es del cielo;
15   y el salpicón, con su ajuelo,
¿no miras qué tufo da?

Comienza el vinillo nuevo
y échale la bendición:
yo tengo por devoción
20   de santiguar lo que bebo.

Franco fue, Inés, ese toque[5];
pero arrójame la bota;
vale un florín cada gota
de aqueste vinillo aloque[6].

25   ¿De qué taberna se trajo?
Mas ya: de la del cantillo[7];
diez y seis vale el cuartillo[8];
no tiene vino más bajo.

[5] Bueno ha sido ese tr
go.

[6] Clarete.

[7] Esquina.

[8] Medio litro, aproxim
damente.

Por Nuestro Señor, que es mina
la taberna de Alcocer: 30
grande consuelo es tener
la taberna por vecina.

Si es o no invención moderna,
vive Dios, que no lo sé;
pero delicada fue   35
la invención de la taberna.

Porque allí llego sediento,
pido vino de lo nuevo,
mídenlo, dánmelo, bebo,
págolo y voime contento.   40

Esto, Inés, ello se alaba;
no es menester alaballo;
sola una falta le hallo:
que con la priesa se acaba.

La ensalada y salpicón   45
hizo fin; ¿qué viene ahora?
La morcilla. ¡Oh, gran señora,
digna de veneración!

¡Qué oronda viene y qué bella!
¡Qué través y enjundias[9] tiene!   50
Paréceme, Inés, que viene
para que demos en ella.

. . . .
¡Qué presencia y sus-
ncia...!

Pues, ¡sus!, encójase y entre,
que es algo estrecho el camino.
No eches agua, Inés, al vino,   55
no se escandalice el vientre.

. . . .
Tresañejo (de más de
s años).

Echa de lo trasañejo[10],
porque con más gusto comas:
Dios te salve, que así tomas,
como sabia, mi consejo.   60

Mas di: ¿no adoras y precias
la morcilla ilustre y rica?
¡Cómo la traidora pica!
Tal debe tener de especias.

¡Qué llena está de piñones!   65
Morcilla de cortesanos,
y asada por esas manos
hechas a cebar lechones.

¡Vive Dios, que se podía
poner al lado del Rey   70
puerco, Inés, a toda ley,
que hinche tripa vacía!

El corazón me revienta
de placer. No sé de ti
cómo te va. Yo, por mí,   75
sospecho que estás contenta.

Alegre estoy, vive Dios.
Mas oye un punto sutil:
¿No pusiste allí un candil?
¿Cómo remanecen[11] dos?   80

---

[1] Aparecen de pronto.

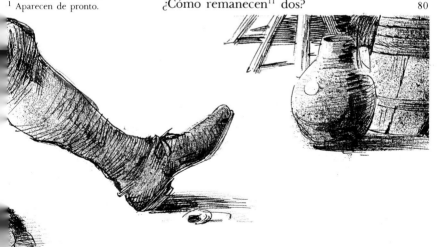

Pero son preguntas viles:
ya sé lo que puede ser:
con este negro beber
se acrecientan los candiles.

85   Probemos lo del pichel[12].
¡Alto licor celestial!
No es el aloquillo tal[13],
ni tiene que ver con él.

[12] Especie de jarra.

[13] No es el clarete tan bueno.

¡Qué suavidad! ¡Qué clareza!
90   ¡Qué rancio gusto y olor!
¡Qué paladar! ¡Qué color,
todo con tanta fineza!

Mas el queso sale a plaza,
la moradilla[14] va entrando,
95   y ambos vienen preguntando
por el pichel y la taza.

[14] Berenjena.

Prueba el queso, que es extremo[15]:
el de Pinto no le iguala;
pues la aceituna no es mala;
100   bien puede bogar su remo[16].

[15] Extraordinario.

[16] Bien puede servir.

Pues haz, Inés, lo que sueles:
daca[17] de la bota llena
seis tragos. Hecha es la cena;
levántense los manteles.

[17] Da acá, dame.

105   Ya que, Inés, hemos cenado
tan bien y con tanto gusto
parece que será justo
volver al cuento pasado.

Pues sabrás, Inés hermana,
110   que el portugués cayó enfermo...
Las once dan; yo me duermo;
quédese para mañana.

FRANCISCO DE FIGUEROA
(¿1536-1617?)

Nació en Alcalá de Henares. Estuvo como soldado en
Italia y Flandes. Sólo se conserva parte de sus versos, en
los que destaca la temática pastoril y la sutileza con que
desarrolla conceptos amorosos.

El espléndido soneto que reproducimos presenta un
interés especial (destacado por R. Lapesa): es una versión, en metro italiano, de un viejo tema de la poesía de
cancionero. Compárese, en efecto, con la glosa sobre *Sin
Dios, y sin vos y mí* de Manrique (n.º **11**) y establézcanse las
diferencias, impuestas en buena parte por la forma
métrica. (Otros poetas posteriores, como Lope de Vega y
Balbuena, nos han dejado sus versiones de este tema.)

57

Perdido ando, señora, entre la gente
sin vos, sin mí, sin ser, sin Dios, sin vida;
sin vos, porque no sois de mí servida[18];
sin mí, porque no estoy con vos presente;

5   sin ser, porque de vos estando ausente,
no hay cosa que del ser no me despida;
sin Dios, porque mi alma a Dios olvida
por contemplar en vos[19] continuamente;

sin vida, porque ya que[20] haya vivido,
10   cien mil veces mejor morir me fuera
que no un dolor tan grave y tan extraño.

¡Que[21], preso yo por vos, por vos herido,
y muerto yo por vos de esta manera,
estéis tan descuidada de mi daño!

[18] No me aceptáis, no me correspondéis.

[19] Contemplaros.

[20] Aunque.

[21] ¡Cómo es posible que...!

FRANCISCO DE ALDANA
(1537·1578)

Oriundo de Extremadura, nacido en Italia, muerto en la batalla de Alcazarquivir, Aldana no es un poeta «menor». Dejando sus composiciones mitológicas, de circunstancias, etc., en su poesía amorosa hay rasgos muy originales, hasta sorprendentes. Es, además, un poeta doctrinal de gran densidad (en la línea estoico-ascética). Pero, sobre todo, adquiere una talla considerable por ciertos sonetos que han sido llamados «metafísicos» o «existenciales». Véanse los dos que recogemos, especialmente famosos.

Nota común a ambos —y de incontestable originalidad— es la utilización poética del lenguaje coloquial (asombroso es el arranque del segundo soneto). El titulado *Desesperación* nos sobrecoge por la angustia que revela y por la violencia con que la expresa. No parece propio de la época: hace pensar en ciertos sonetos barrocos (Quevedo...). El desengaño barroco parece anunciarse asimismo en el soneto **59;** pero el último terceto expresa —como salida— el ideal de vida retirada, cultivando la virtud («la victoria de sí») y con «el querer» puesto en Dios. Así enlaza Aldana con Fray Luis.

DOS SONETOS

58

DESESPERACIÓN

Mil veces callo, que romper deseo
el cielo a gritos, y otras tantas tiento[22]
dar a mi lengua voz y movimiento,
que en silencio mortal yacer la veo.

5   Anda cual velocísimo correo
por dentro el alma el suelto pensamiento,
con alto, y de dolor, lloroso acento,
casi en sombra de muerte un nuevo Orfeo.

No halla la memoria o la esperanza
10   rastro de imagen dulce o deleitable
con que la voluntad viva segura.

Cuanto en mí hallo es maldición que alcanza,
muerte que tarda, llanto inconsolable,
desdén del cielo, error de la ventura.

[22] Intento.

59

RECONOCIMIENTO DE LA VANIDAD
DEL MUNDO

En fin, en fin, tras tanto andar muriendo,
tras tanto variar vida y destino,
tras tanto de uno en otro desatino,
pensar todo apretar, nada cogiendo;

tras tanto acá y allá, yendo y viniendo   5
cual sin aliento, inútil peregrino;
¡oh Dios!, tras tanto error del buen camino
yo mismo de mi mal ministro siendo,

hallo, en fin, que ser muerto en la memoria
del mundo es lo mejor que en él se esconde,   10
pues es la paga de él muerte y olvido;

y en un rincón vivir con la victoria
de sí, puesto el querer tan sólo adonde
es premio el mismo Dios de lo servido.

ALONSO DE ERCILLA
(1533-1594)

Cerraremos esta apretada antología con una muestra de un género no lírico: la llamada *épica culta,* que nació y se desarrolló entre nosotros por influjo lejano de la epoca clásica (Homero, Virgilio, Lucano...) e influjo cercano de la épica renacentista italiana (Ariosto).

Ercilla nació y murió en Madrid, pero será recordado siempre por su participaciión en la conquista del valle de Arauco (Chile). De tal experiencia nace *La Araucana,* obra maestra del género (1569-1589). Es un extenso poema escrito en octavas reales. Debe destacarse su enfoque: los vencidos —los araucanos— adquieren una auténtica dimensión heroica. Son famosos los retratos de sus jefes; ante todo, Caupolicán.

Resultaba casi obligado escoger un fragmento del episodio en que Caupolicán es proclamado caudillo de su
pueblo, tras salir vencedor de una dura prueba: ser el que
más tiempo resistía andando con un pesado tronco de
árbol sobre los hombros. (Este mismo lance inspiró un
famoso soneto de Rubén Darío.)

60

LA ARAUCANA

[Fragmento del Canto II]

    Ya la rosada Aurora comenzaba
las nubes a bordar de mil labores,
y a la usada labranza despertaba
la miserable gente y labradores,
5   y a los marchitos campos restauraba
la frescura perdida y sus colores,
aclarando aquel valle la luz nueva,
cuando Caupolicán viene a la prueba.

    Con un desdén y muestra[23] confiada
10   asiendo del troncón duro y nudoso,
como si fuera vara delicada
se le pone en el hombro poderoso.
La gente enmudeció maravillada
de ver el fuerte cuerpo tan nervoso;
15   la color a Lincoya[24] se le muda
poniendo en su victoria mucha duda.

[23] Expresión.

[24] Lincoya era el rival de Caupolicán.

El bárbaro sagaz despacio andaba,
y a toda prisa entraba el claro día;
el sol las largas sombras acortaba,
mas él nunca decrece en su porfía;   20
al ocaso la luz se retiraba,
ni por eso flaqueza en él había;
las estrellas se muestran claramente,
y no muestra cansancio aquel valiente.

Salió la clara luna a ver la fiesta,   25
del tenebroso albergue húmedo y frío,
desocupando el campo y la floresta
de un negro velo, lóbrego y sombrío.
Caupolicán no afloja de su apuesta;
antes con nueva fuerza y mayor brío   30
se mueve y representa de manera,
como si peso alguno no trujera [...]

        [*Pero Caupolicán sigue otro día y*
        otra noche con el tronco a cuestas.
        Y así termina su hazaña]

Era salido el sol cuando el enorme
peso de las espadas despedía,
y un salto dio en lanzándole disforme[25]   35
mostrando que aún más ánimo tenía.
El circunstante pueblo en voz conforme
pronunció la sentencia y le decía:
«Sobre tan firmes hombros descargamos
el peso y grande carga que tomamos».   40

. . . .
5 Enorme (califica a *sal-*
-).

A P É N D I C E

ESTUDIO DE LA OBRA

Como no se trata aquí exactamente de *una* obra (*una* novela, *una* comedia...), este apéndice será distinto de lo habitual en la colección. Nos limitaremos a trazar esquemas que faciliten al alumno una *síntesis de conjunto* —por siglos— de lo que se habrá ido viendo al hilo de las lecturas. (Remitiremos continuamente a los textos mediante números en **negrita**.)

Los trabajos especiales sobre los grandes poetas podrán basarse en las introducciones a cada uno de ellos y en las notas a sus textos.

A) SIGLO XV

El amor

La concepción del *amor cortés,* expuesta en la *Introducción,*
se habrá encontrado en diversos poemas **(1, 6, 8, 18, 19,
20),** pero sobre todo en Jorge Manrique **(9-12).** En sus
versos, en efecto, encontramos ideas como éstas:

— El amor es servidumbre y adoración (hasta el endiosamiento de la dama).

— Es una fuerza irresistible que arrastra la razón (es
   locura) y la voluntad (es cautividad, prisión, pérdida
   de la libertad...).

— Es contienda íntima y contradicción en tu dicha y
   dolor, vida y muerte...

Como un género particular de poesía amorosa, recordemos las *serranillas* **(3 y 4).** Sobre sus orígenes y significación, cfr. la introducción a Santillana.

La vida y la muerte

Junto a las insatisfacciones amorosas, la insatisfacción
vital... Aludimos a una *visión negativa del hombre y del
mundo* en el siglo XV, centrada en la vanidad de lo terreno
y en la brevedad e inconsistencia de la vida. Destaquemos
ahora, dos temas importantes, antes de ocuparnos del
tema fundamental de la muerte:

— *El tema de la Fortuna.* La diosa clásica —mudable, inconstante— se convierte en símbolo de la inconsis-tencia de la vida terrena y en síntoma de una desazón muy del momento. Aparece el tema en el *Diálogo de Bías contra Fortuna* de Santillana (no recogido aquí) y, por supuesto, en el *Laberinto de Fortuna* de Mena **(8)**, en las *Coplas* de Manrique **(13)** y en muchas obras más.

— *El tema del «Ubi sunt?»* Lo hemos encontrado en Mena **(7)** y constituye una de las partes memorables de las *Coplas* **(13)**. Es bien revelador de la preocupación por la caducidad de la vida y nos hace enlazar con la omnipotencia de la muerte.

No será necesario ponderar la importancia que cobra en esta época el **tema de la muerte.** Pero sinteticemos los pasos que se dan en su tratamiento, según se parta de un enfoque *vitalista* o *ascético:*

a) En el siglo XIV la postura vitalista se veía en el Arcipreste de Hita. Y el reverso de esa valoración positiva de la vida era el horror a la muerte (recuérdese el «Llanto por Trotaconventos» del *Libro del Buen Amor*).

b) A principios del XV, la *Danza de la Muerte* **(14)** extrema ese horror y —como reverso, ahora— se invita al desengaño de la vida, al menosprecio del mundo. Semejante enfoque moral se hallará en Mena **(7)**.

c) Partiendo de ese desengaño, las *Coplas* de Manrique serán la cima artística del enfoque ascético. Pero desembocan en una serena aceptación de la muerte y de la caducidad de la vida, desde una concepción heroica y cristiana.

Más tarde, volverá a prevalecer —al menos durante algún tiempo— el *vitalismo:* frente a la fugacidad, se invitará a aprovechar el instante *(Carpe diem...)*. Juan del Encina preludia esta postura en el poema **21.**

Otros temas

Sólo dos observaciones:

— La *poesía religiosa,* en su sentido más estricto, está representada por Íñigo de Mendoza **(16)** y Fray Ambrosio de Montesino **(17)**. El segundo nos ofrece ya una muestra de *poesía «a lo divino»,* de tan gran repercusión en el futuro, y especialmente en los místicos.

— Aludamos al *tema de la fama* y de las *tres vidas* que aparece ejemplarmente en las *Coplas* XXXV-XXXVII de Manrique **(13)**. Esa «segunda vida» —la de la fama— supone que ya se valoran positivamente ciertos aspectos de la vida terrena (así, la ejemplaridad heroica).

El estilo

Nos limitaremos a recordar las distintas tendencias ya señaladas, remitiendo a los textos que las ilustran y añadiendo sólo algunas observaciones sobre el estilo de la poesía amorosa.

— El *conceptismo* y los *artificios* heredados de la *retórica trovadoresca* pueden verse, una vez más, en Manrique **(9-12)**. Figuras como los «opósitos» y las paradojas responden a la idea del amor como contradicción. Pero otras muchas responden al puro placer de trabajar el lenguaje artísticamente: así, artificios de construcción sintáctica (paralelismo, etc.), juegos léxicos, juegos de sonoridades y rimas...

— Sobre el estilo sumamente artificioso y latinizante de la poesía *alegórico-dantesca,* cfr. la introducción a Juan de Mena y el texto **8.**

— La mayor sobriedad de la *poesía moral* puede apreciarse ya en el mismo Mena **(7)** y culmina, en la segunda mitad del siglo, en Manrique **(13)**.

— Finalmente, recordemos una línea que apunta hacia una «naturalidad» y una frescura, inspiradas en buena parte en la *lírica tradicional:* Gómez Manrique **(15)**, Montesino **(17)**, Juan del Encina **(21)** y, sobre todo, las deliciosas muestras de Gil Vicente **(22-23)**.

La métrica

En este caso hemos dejado diversos detalles para recogerlos aquí. Como sabemos, hay que distinguir tres campos:

a) *La métrica octosilábica.* Es la constituida por el octosílabo y otros versos de ritmo afín: el hexasílabo y el tetrasílabo o «pie quebrado» [= verso partido]. Entre las estrofas más usadas, hemos podido ver:

— La *copla de arte menor,* de ocho versos con rimas *abba acca,* entre otras combinaciones: Mena **(7)**.

— La copla castellana, también de ocho versos, pero agrupados en dos redondillas *(abba cddc)*: véase la 2.ª estrofa del n.º **10**.

— La *copla mixta,* de nueve versos (4 + 5 o al revés y con diversas rimas): 1.ª estrofa del mismo n.º **10**.

— La *copla real,* de diez versos (p. e. = *abaab cdccd):* Manrique **(9)**.

— Las *coplas de pie quebrado;* hay diversas combinaciones, pero la más famosa es, por supuesto, la «estrofa manriqueña» **(13)**.

Añadamos que la *canción* amorosa o cortesana, breve, presenta su forma más característica (no única) en los poemas **11** y **12** de Manrique: como se ve se componen de *estribillo, mudanza* y *vuelta.*

Ello nos conduce, dentro de este primer apartado, a la *versificación de tipo tradicional,* una de cuyas manifestaciones más antiguas, el *zéjel,* presentaba esa misma estructura tripartita, pero en forma sumamente sencilla *(aa bbb a...):* véase un ejemplo perfecto de Gil Vicente **(22)**. Otros ejemplos: **15, 16, 17** y **20** (con variaciones).

De esta estructura derivará el *villancico glosado.* Pero, tanto el «villancico» (o estribillo), como las «glosas» (estrofas que lo desarrollan) podrán adoptar varias formas: cfr. Santillana **(3** y **4)**.

b) *El arte mayor castellano.* Es esa versificación más solemne y de ritmo más marcado, algo monótono, que hemos visto en la *Danza de la Muerte* **(14)** y en Mena **(8)**.

— El verso se compone de dos hemistiquios, y su forma dominante es la de un dodecasílabo con esta acentuación: oóo oóo / oóo oóo («Amores me dieron corona de amores»). Pero hay otras variedades: basta con que en cada hemistiquio haya dos sílabas tónicas separadas entre sí por dos átonas.

— La estrofa más usada es una octava bimembre cuyo esquema más común es ABBA ACCA.

c) *Las formas italianas.* Como sabemos, los primeros intentos de aclimatar endecasílabos y sonetos —Imperial, Santillana **(5)**— ofrecen deficiencias: la más frecuente es caer en el uso de versos de arte mayor castellano o los llamados «endecasílabos de gaita gallega» (con acentos en 1.ª, 4.ª y 7.ª: «¿**Dó** es just**í**cia, templ**á**nza, igualdad...?») Se trata, como vamos a ver, de un tipo de ritmo que rompe con el de los endecasílabos propiamente dichos.

B) SIGLO XVI

Los metros italianos

Comenzaremos ahora por esto, dada su importancia y enlazando con lo que acabamos de ver. Recordemos los principales versos y estrofas.

a) El *endecasílabo* es la base. Junto a él, su «pie quebrado»: el *heptasílabo*. Y ambos pueden combinar con el *pentasílabo*.

El ritmo del endecasílabo se basa en los acentos de las sílabas pares («Movióla el sítio umbróso, el mánso viénto»), pero sólo es necesario que se mantengan algunos —aparte del 10.º, naturalmente. De acuerdo con ello, dos son los tipos fundamentales de endecasílabos:

— *Tipo A* (llamado a veces «heroico»), con acento en 6.ª = «En tanto que de rósa y azucena».

— *Tipo B* (llamado «sáfico»), con acento en 4.ª y 8.ª: «Cuando me páro a contemplár mi estado».

Naturalmente, caben combinaciones secundarias, y podrá haber acentos en sílabas impares siempre que no interfieran con el ritmo básico. Pero ya se percibirá que el endecasílabo con acento en 7.ª es otro ritmo («de gaita gallega» o «de muñeira»).

b) Recordemos las principales *estrofas* traídas de Italia:

— *Tercetos,* normalmente «encadenados».

— *Octavas:* cfr. Garcilaso **(32)**; sería más tarde la estrofa propia de la épica culta: Ercilla **(60).**

— *Silva* o combinación libre e indefinida de endecasílabos y heptasílabos.

— Cuando un poema consta de varias estrofas iguales, compuestas de versos de 11 y 7 al arbitrio del poeta, cada una de esas estrofas se llama *estancia.* Hay, por tanto, muchas clases de estancias: cfr. Garcilaso **(31)** y Herrera **(36).**

— *Lira:* es en realidad una clase de «estancias» que se hizo especialmente famosa por la Canción V de Garcilaso, que empezaba así:

Si de mi baja *lira*	7*a*
tanto pudiese el son que en un momento	11*B*
aplacase la ira	7*a*
del animoso viento	7*b*
y la furia del mar y el movimiento...	11*B*

Son memorables los poemas en liras de Fray Luis y de San Juan de la Cruz.

— *Soneto.* Recordemos que, en los tercetos, la distribución de las rimas puede responder a varios esquemas. Esta antología contiene algunos de los más hermosos sonetos de nuestra lengua.

NOTA. —Paralelamente, claro es, continúan los *metros castellanos.* Raro es el poeta que no cultiva ambas artes. Véanse, en su lugar, muestras de Boscán, del mismo Garcilaso, de Fray Luis, de Baltasar del Alcázar, así como las *glosas* y *villancicos glosados* de Castillejo, Santa Teresa o San Juan.

El tema del amor

Señalemos que, incluso en poemas en metros italianos, perviven a veces rasgos de la poesía cortesana cancioneril. Así, aparte los primeros sonetos de Garcilaso **(26)**, en el de Figueroa **(57)**; incluso en el «razonamiento» del famoso *Madrigal* de Cetina **(55)**.

Pero el triunfo del *petrarquismo* es absoluto. Tanto Garcilaso, como Herrera componen verdaderos «cancioneros» petrarquistas. Y en torno a ellos dos, una legión de poetas se adscribe a esta concepción del amor. Remitimos, ante todo, a nuestras páginas y notas sobre Garcilaso, que deberán enmarcarse en lo dicho sobre el petrarquismo en la *Introducción*. En cuanto a Herrera, la crítica ha subrayado su «ortodoxia» petrarquista, combinada con un evidente *platonismo* (en una ocasión habla de «vuestra eterna, angélica belleza» refiriéndose a su dama).

Recordemos, por otra parte, el papel que adquiere *la naturaleza* en la poesía amorosa, como marco del amor o como espejo que refleja los estados de ánimo del enamorado. Piénsese especialmente en la *Égloga I* de Garcilaso **(31)**. Y señalemos la singularidad de los paisajes «románticos» de ciertos sonetos de Herrera **(33 y 35)**.

Del vitalismo al ascetismo. Los temas religiosos

Dijimos que la plenitud del Renacimiento, en España, es una breve etapa, un momento de equilibrio inestable. En ese momento, el *vitalismo,* el goce de vivir, alcanzará manifestaciones poéticas tan hermosas como el soneto XXIII de Garcilaso **(30)**; aun así, empañado de melancolía.

Cuando avanzamos por la segunda mitad del siglo, vemos crecer unas inquietudes, una insatisfacción, un malestar que habrán de desembocar en el desengaño barroco (hay, claro, excepciones, como el Herrera patriótico [36] o el Alcázar jocoso [56]). Recordemos algunos aspectos centrales:

— *Los sentimientos de desamparo y de no plenitud del hombre en la tierra* son centrales en la poesía de Fray Luis (cfr. especialmente **37-38**).

— El mundo de los hombres ya no es armónico y gozoso: es un «mar turbado»; y «todo lo visible es triste lloro», según el mismo Fray Luis.

— La expresión de la *insatisfacción vital* se hace desgarrada, violenta, en Aldana **(58-59);** para él, vivir es ya un «andar muriendo», lo que nos hace pensar en Quevedo.

— Vuelven a cobrar predicamento temas como la *vanidad del mundo,* la *inconsistencia de la vida,* etc.

Así, adquiere nuevo impulso una *concepción ascética* que ya habíamos visto en el «otoño de la Edad Media» y que, en España, se corresponde muy bien con el repliegue espiritual alentado por Felipe II. Pero no se olvidará que ese enfoque ascético puede combinarse con elementos típicamente renacentistas. Recordemos, una vez más, a Fray Luis:

— En su *ideal de vida retirada,* como vimos, se funde lo cristiano y lo clásico (el Horacio del *Beatus ille*). Y, como marco del retiro, aparece una *naturaleza* serena, hermosa, primaveral, de inequívoco gusto renacentista (cfr. especialmente **40** y **41**).

— Sus *visiones de la vida celeste* están empapadas de *platonismo:* es la belleza de la música **(42)** o de la noche estrellada **(43)** lo que eleva su alma hacia Dios. (En este platonismo coincide con San Juan.)

En fin, junto a la *Ascética,* la *Mística.* Aquí no añadiremos nada a lo ya expuesto:

— Para la distinción entre ambas, cfr. Introducción, págs. 25-26.

— Para conceptos como las tres *vías,* la *noche,* etc., cfr. San Juan de la Cruz, presentación y notas.

Estilo

Tampoco creemos necesario insistir apenas en lo ya dicho sobre este punto.

Pártase de lo señalado en la *Introducción* (págs. 26-28) sobre el ideal de estilo en el Renacimiento pleno: *naturalidad* y *selección.* Y ténganse presentes todos aquellos rasgos que apuntan hacia la evocación de la realidad en sus perfiles *arquetípicos* (p. e., cierto uso del *epíteto*), o hacia la expresión del *equilibrio (bimembraciones, paralelismos, quiasmos...),* o hacia la *armonía* en todas sus formas (la musicalidad, por ejemplo)... pero no se olviden esos significativos «desgarrones» —la expresión es de Dámaso Alonso— que nos han salido al paso... Y véase lo indicado sobre la evolución de tonos y formas en la segunda mitad del siglo *(Manierismo).*

Más allá de lo dicho, habría que atender a las *individualidades.* Remitimos, pues, a las presentaciones y notas sobre los autores, para valorar la lengua poética de cada uno: Garcilaso, con su fluir armónico, ondulante, y su elegante contención (salvo rompimientos súbitos); Fray Luis, entre la armonía y la intensidad afectiva, entre la sosegada gravedad y la anhelosa queja, pero siempre con la misma conciencia artística; San Juan de la Cruz, con su densidad simbólica, sus destellos alucinados, su incalculable, su misteriosa belleza...

Muchas son, sin duda, las cosas que estudiar, que analizar, en la poesía aquí recogida. Pero que todo ello no se enfoque sino a acrecentar el placer que la lectura de esos poemas nos produzca.

BIBLIOGRAFÍA

Sólo daremos aquí unos pocos libros de conjunto o que contienen página
imprescindibles para nuestro campo. El lector acudirá, por lo demás,
distintas *Historias de la literatura* (destaquemos la gran utilidad de los tomos I
II de la de F. PEDRAZA y M. RODRÍGUEZ, Ed. Cenlit).

ALONSO, Dámaso: *Poesía española. Ensayo de métodos y límites estilístico*
Ed. Gredos, Madrid, 1950.

> Obra clásica. Sus comentarios de Garcilaso, Fray Luis o San Jua
> proporcionan hermosos hitos en la trayectoria de la poesía renace
> tista.

BLECUA, Alberto: *La poesía del siglo XV,* Ed. La Muralla, Madrid, 1975.

> Excelente visión de conjunto, acompañada de una sugestiva serie de di
> positivas.

FERNÁNDEZ ÁLVAREZ, Manuel: *La sociedad española del Renacimiento,* Ed. Anay
Salamanca, 1970.

> Sólido y sugestivo panorama que permitirá situar la literatura en s
> contexto histórico-social.

LAPESA, Rafael: *Historia de la Lengua española,* Ed. Gredos, Madrid, 198
(8.ª ed.).

> Obra maestra de su campo. Son de imprescindible consulta las págin:
> sobre la lengua literaria del período que nos ocupa.

— *De la Edad Media a nuestros días. Estudios de historia literaria,* Ed. Gredo
Madrid, 1967.

> Entre otros, es iluminador el estudio titulado «Poesía de cancionero
> poesía italianizante».

ÁZARO, Fernando: *Estudios de poética (la obra en sí),* Ed. Taurus, Madrid, 1986 (2.ª ed.).

Contiene páginas definitivas sobre «La poética del arte mayor castellano».

E GENTIL, Pierre: *La poésie espagnole et portugaise à la fin du Moyen Age,* Ed. Plihon, Rennes, 2 vols., 1949-1953.

Aunque sólo se encontrará en las buenas bibliotecas, es imprescindible conocer esta obra monumental, insuperado panorama de la poesía del XV.

ICO, Francisco [Director]: *Historia y crítica de la literatura española,* vols. I y II, Ed. Crítica, Barcelona, 1980.

Conjunto esencial de trabajos (estado de la cuestión, bibliografía y selección de páginas críticas). Interesan aquí los siguientes capítulos:

— Del vol. I, preparado por A. DEYERMOND, el capítulo 8.

— Del vol. II, al cuidado de F. LÓPEZ ESTRADA, los capítulos 1, «Temas y problemas del Renacimiento español» (F. RICO); 2, «Garcilaso, etc.» (B. LÓPEZ BUENO y R. REYES CANO); 3, «Fray Luis» (C. CUEVAS); 8, «Herrera, etc.» (A. BLECUA), y 9, «Santa Teresa, San Juan, etc.» (C. CUEVAS).

En esta última obra —entre otras— se hallará bibliografía particular sobre los diversos autores, pero no queremos dejar de recordar, entre tantos, unos libros ya clásicos sobre los grandes poetas. Son los libros de Rafael LAPESA (sobre *Santillana,* sobre *Garcilaso*), María Rosa LIDA (sobre *Juan de Mena*), Pedro SALINAS (sobre *Jorge Manrique),* Oreste MACRÍ (sobre *Fray Luis* y sobre *Herrera*) y Dámaso ALONSO (sobre *San Juan de la Cruz*). Las referencias concretas —insistimos— están en la última obra citada y en todas las bibliografías.

© GRUPO ANAYA, S. A., 1987
© De esta edición: GRUPO ANAYA, S. A. Juan Ignacio Luca de Tena, 15. 28027
Madrid - Depósito Legal: S. 679-2000 - ISBN: 84-207-2830-6 - Impreso en Gráficas
Varona. Polígono «El Montalvo», parcela 49. 37008 Salamanca - Impreso en España/
Printed in Spain.